U0135186

臺中學
2017
The Study of Taichung

踢躂膠彩

臺灣膠彩畫之父林之助

曾得標、林景淵 著

王志誠 主編

臺中市政府文化局　遠景 VISTA PUBLISHING

踢躂膠彩

臺灣膠彩畫之父林之助 ─────────

Contents

Contents

Contents

書 碼 201714

複合媒體影音書

「行動導讀」提供讀者一份新的閱讀體驗，傳統書籍也可以如此方便地做到：既有深度、兼具廣度。其特色既保持書本平面閱讀時的舒適感與質感，同步又能夠提供多面性的具象影音，使書的內容更充實、更能散播美感與價值。

行動導讀　這樣做──

1. 手機下載「行動導讀」APP（iOS、Android 適用）或瀏覽網站（http://www.dowdu.tw/）。
2. 輸入「書碼」：QR Code 或 201714。
3. 查看「易導碼」（例如「(25)」），即可體驗閱讀中所延伸的豐富多媒體與影音內容。

儲備臺中的人文精神

林佳龍

近年來，做為宜居城市臺中市吸引各地的民眾陸續移入，人口大幅成長，躍居全臺第二大城，同時民眾對生活品質的訴求相對提高，人文精神也隨之抬頭。政府應如何規劃城市願景，以符合市民期待，這一步極為重要。

現今的臺中，能受到愈來愈多人的認同，過去打下的基礎功不可沒。許多在地的民間團體在此基礎上，活絡熱切地在臺中各地舉辦藝文活動，布置閱讀、品茗、及享用文創餐飲的舒適生活空間，或透過舉辦讀書會、講座等不同方式推展這座文化之城，使它的生活面貌、運轉軌跡可以清楚地被自身與外界所認識。而市府的文化團隊也不落於人後，以出版的力量凝聚這些人文精神，用以滿足這座對自身文化越來越有自覺的城市。

為了與過去眾多學術性的調查研究報告做區別，臺中市政府文化局特別策畫出「臺中學」叢書，以故事傾訴當地，以圖片還原環境，讓大眾透過這套書去發掘更多臺中的美好，進而典藏臺中的歷史、文化與生活。去年付梓的臺中學專書裡，分別暢談「臺中公園的今昔」、「領航者林獻堂」、「葫蘆墩圳

探源」、「清水人文地誌學」、「世界珍奶與臺中茶飲」等五大主題，都獲得廣泛的回響。

今年，我們聘請宋德熹與朱書漢、游博清、方秋停、郭富與蘇全正、林景淵與曾得標等專家學者，撰寫第二輯的臺中學，推出《驛動軌 ：臺中火車站的古往今來》、《市街之味：臺中第二市場的百年風味》、《書店滄桑：中央書局的興衰與風華》、《劇場演義：演藝娛樂現代化的天外天劇場》、《踢躂膠彩：臺灣膠彩畫之父林之助》，希望大家透過這五部專著看到臺中昔日的風華、現今正在進行的輪廓，與未來城市發展的藍圖，了解這塊土地的身世背景，進一步與臺中產生深厚的情感與歷史文化連結。

得以在一座人文風氣濃厚的城市中生活，無疑是幸福的。當然，臺中文化重鎮的地位之所以屹立不搖，靠的無非是一種長時間文化的累積，我們現在走的每一步路都是為將來進行儲備，所以我們也會持續出版一系列與臺中學相關的書籍，透過記錄不同階段、不同層面的人事物，增加這座城市的多元文化厚度。

局長序
「百年城」的五道歷史光芒

王志誠

　　臺灣遊客偏愛日本京都。因為，那是一座洋溢著人文、藝術、歷史等氣息的棋盤式城市。然而如今卻極少人知道，昔日的臺中市也因為曾以京都為城市規劃的藍本，而被賦予了「小京都」的美稱。我們可以想像一下百年之前的中區地貌——宏偉的臺中火車站、臺中市役所、臺中州廳；以及許多香火鼎盛的寺廟；寧靜的各類日式傳統住宅；摩登的巴洛克式洋房、現代的市場建築；以及嫵媚柔人的柳川與石橋——那份傳統與現代、繁榮與靜謐並行的優雅，也曾經在臺中如此深刻地駐足過。

　　生活在「小京都」這座風情萬種的城市，我總想，要怎麼樣讓它的優雅再現，或是更廣為年輕一輩所知；當然，臺中不只有優雅的小京都，還有更多精采繽紛的山海景致與極富臺灣味的城貌，提供了許多足以形塑臺中的關鍵字庫。這些字庫的單詞不應只是單薄的名詞，而是更能引發人們情感共鳴的聲音，於是，「臺中學」系列在 2016 年誕生了。

　　第一輯「臺中學」付梓後，不僅受到海內外矚目，也獲得國史館臺灣文獻館的出版獎勵，以及文化部中小學生優良課外讀物的推介選書。市府與文化局團隊感謝各界的肯定之餘，今年也再接再厲，繼續編纂「臺中學」第二輯，規劃「臺中火車站」、「臺中第二市場」、「中央書局」、「天外天劇場」、「臺灣膠彩之父林之助」等五大主題，重塑「小京都」的生活與人文風貌。而第二輯的籌畫與撰寫，很榮幸邀請到中興大學及臺中在地的專家學者們，以他們豐厚的史學素養及在臺中生活多年的實地經驗，為這五個臺中關鍵詞彙刻劃立體細緻的脈絡。

　　在臺中火車新站開通之際，對舊站的記憶與感情依舊鮮明地存在於每個臺中

人的心中，《驛動軌：臺中火車站的古往今來》便是一個精準的彙整與見證；本書由中興大學歷史系教授宋德熹、長期以「寫作中區」為筆名記錄臺中的朱書漢執筆操刀，不捨中卻又帶著期盼的心情，為這座老火車站的曾經與將來留下註腳。第二市場已是「臺中美食」的另類代名詞，而美味根植於整個場域獨特的歷史氛圍；透過《市街之味：臺中第二市場的百年風味》，擅長臺中發展史與文化交流史的游博清讓我們聽到了日語、臺語、國語交雜出的市場語言，更在古色的紅磚樓下聞到了青蔬、鮮魚的氣味，從不因百年過去而變質。

在電視、電腦等 3C 產品還未問世的年代，人們最大的娛樂便是閱讀與看電影，中央書局與天外天劇場因此與許多人的青春歲月遇見相逢。散文家方秋停不但以生動的說故事手法將中央書局在臺中建立文化碉堡的歷程娓娓道來，更訪問了諸多文化界人士，讓中央書局透過他們的記憶逐步復甦；對於即將重獲新生的中央書局而言，《書店滄桑：中央書局的興衰與風華》是一本不可或缺的指南。而天外天劇場或許是第二輯系列中最不容易詮釋的主題，但長期關注此地的蘇全正依舊透過中部首富吳鸞旂傳奇的一生，及其子吳子瑜對劇場的出資、投入，爬梳出天外天劇場的輪廓，成就了《劇場演義：演藝娛樂現代化的天外天劇場》這部作品，本書也幸得「臺中文史寶庫」郭双富的協助，收錄許多精采的圖片文獻。

如同第一輯的規劃，第二輯也選錄一位知名的臺中人物作為全輯亮點，出生在大雅、壯年乃至老年皆活躍於臺中的一代膠彩畫大師林之助便以《踢躂膠彩：臺灣膠彩畫之父林之助》一書登場。這部由林之助弟子曾得標及中興大學教授林景淵執筆的作品，除了清晰地勾勒出大師幽默迷人的風采，更重現他在動亂的大時代中，仍穩健地步向美之天地的堅定理念，是一部精采絕倫的人物觀察寫真。

巡禮了「臺中學」第二輯，我們會發現臺中何以在當年能坐擁「小京都」的封號，而這次的選題除了著重地理、歷史的主軸，也將視野延伸至庶民生活、美術藝文的層面，希望民眾不只能從文史的角度去認識臺中的曾經，更能感受與欣賞它美麗的面貌與內涵。

前　言

用膠彩為世界上色的藝術家

膠彩畫需要一層一層地上色，重複堆疊、將顏料反覆塗到媒材上，細緻地表現光線的明暗，又因為膠彩的特性，鮮豔的色彩能保存很久，即使歷經歲月的淘洗，畫作仍美麗如初──膠彩畫家林之助在美的世界裡漫遊，不單只是一位單純成就藝術的畫家，他的一生正如歷久不衰的畫作，在臺灣美術史上留下美麗的一筆。

林景淵／撰

｜美為一生關鍵字｜

膠彩畫家林之助 (1)（1917 年～ 2008 年）出生於日治時期的臺中大雅。以當時的客觀環境而言，臺灣人欲獲取較高學歷有高度困難性，但由於林之助家庭經濟條件較佳，因此林之助在小學後段便得以進入東京的學校就讀。

中學畢業後的林之助選擇修習的是美術，當時這種選擇是富家子弟的專利，另一種則是就讀醫科。由於兩者的學費皆頗昂貴，因此並非一般的中、下家庭足以負擔。而美術與醫科之所以成為熱門選項，與當時特殊的時代背景有關——其時日本

1962 年林之助春節攝於畫室。

踢躂膠彩｜臺灣膠彩畫之父林之助

統治者並不樂見臺灣人學習社會科學，尤其是法律與政治。

修習美術的林之助不僅成績斐然，「帝國美術學校[2]」（今武藏野美術大學）畢業不久後更順利入選了「帝展」。除了林之助，根據謝里法的《臺灣美術研究講義》，臺灣前輩畫家中，曾入選「帝展」的尚有：黃土水[3]、張秋海、陳澄波、廖繼春、李石樵、陳進、陳夏雨。

二次大戰後期，林之助返回了臺灣。1946 年時，林之助應聘至臺中師範學校（後數度改制，即今臺中教育大學），擔任美術教師，直至 1979 年才退休。悠悠三十多年歲月，畫家林之助傾注全副心力於小學教師美術教學的培育。而臺中東海大學以及臺北實踐家專（今實踐大學）也留有他短期任教的身影。

1966 年時，林之助加入「臺中扶輪社」（臺中最早的扶輪社），參與諸多社會公益活動，並曾任社長一職。發起於美國芝加哥的「扶輪社」，乃是由跨業人士所成立的公益團體，其據點遍布世界各國。

至於臺中市的「孔雀咖啡廳」，即是林之助因興趣使然以及為求改善家庭經濟而特別開設。另外，為了積極推廣中、小學美術教育，林之助也曾經營「青龍出版社」，專門編印並行銷中、小學美術課本。

在教學工作、公益活動、事業經營的繁忙生涯中，畫家林之助最大的貢獻當屬他遺留下豐富多彩的美術作品。以「膠彩

畫 (4)」而言，尤其在中部地區，林之助的畫業謂以一枝獨秀也不為過。

| 畫作與畫展的征途漫漫 |

作為一名美術創作者，畫家林之助一生努力不懈，其堅苦卓絕的毅力令人敬佩。

林之助在臺灣光復之初的 1946 年即擔任「全省美展 (5)」的評審委員，並於當年的第一屆展覽提供了三件作品：〈朝粧〉、〈淨晨〉、〈秋趣〉參展，以為示範。此後，每屆固定提供二、三件作品參展，熱忱一直持續至第 53 屆（其中中斷少數幾屆），換言之，前後維持參展了漫長的 53 年時光。這不僅顯現林之助對於「全省美展」的強烈支持，毫無疑問的，

1988 年，第 35 屆中部美展，林之助理事長頒獎給優勝作家。

踢躂膠彩 ｜臺灣膠彩畫之父林之助

也同時彰顯他的創作熱度歷久不衰。

　　另外，創立於 1954 年的「中部美術協會」，也由林之助所發起，他同時擔任了 35 年的會長。身為創會者，林之助再次率先提供三件作品參展，分別是：〈初夏〉、〈晚秋〉、〈浴後〉，此後每屆未曾缺席，直至去世那年（2008 年）還參展了作品〈爽秋〉，可謂「胼手胝足，死而後已」。

　　除了「全省美展」、「中部美展」以外，林之助也發起了「全省膠彩畫展」，並親自帶領膠彩畫家參展。而以臺北為根據地的「臺陽美展 (6)」他則間斷性地參與。

　　在創作主題方面，林之助先是以人物、風景、動物為主角，後來又改為聚焦於花鳥上，而畫筆細緻精巧與栩栩傳神，則是林之助作品的最大特色。

2000 年 5 月 22 日林之助伉儷於長榮飯店與林增連社友合影。

據師承林之助的膠彩畫家李貞慧指出，林之助精妙的技法來自於持續不斷磨練寫生技術，他相當重視「感覺寫生」，以彩繪鴿子為例，林之助總是要求學生透過長期的觀察並一再重複地描繪，「不是要你複製地只是畫得非常非常精準，他要求的是你必須去感受到一個生命。」

至於花鳥畫的創作，為能實地觀察，林之助更是親自蒔花、養鳥，而「曇花」作為他持續的創作主題，即使在移居美國後，他仍植曇花不懈，並詳細觀察前後的差異。林之助這般藝術性的做法，想來正是獲得詹前裕的讚美「配色非常漂亮，能反映高雅脫俗、富貴氣派的特色」之最關鍵的元素。

裂縫中照見膠彩畫的未來

若論及林之助投入的美術活動，那麼應該可以總結為「全省美展」、「中部美展」、「臺灣膠彩畫展」。

創立於戰後初期（1946 年）的「全省美展」，在 1950 年前後，來自大陸的水墨畫畫家風起雲湧，這些畫家或許是受限於一己見聞，又因戰事甫畢未幾，仇日情緒尚未消除，再加上留日畫家教授的學生時常名列前茅，種種因素引發了為何「國畫」不受重視，而「日本畫」卻經常得獎的質疑。

就在大陸來臺水墨畫家與省籍畫家的對立下，1963 年時，便將「國畫」區分為「第一部」、「第二部」，而維持了短期

的相安無事。然而到了 1974 年，卻因臺灣與日本斷絕外交關係，國畫「第二部」也就此遭到廢除。

重生的曙光出現於 1977 年，起因於林之助率先提出「膠彩畫」這個以繪畫材料作為區隔的全新名詞來替代國畫「第二部」，不僅逐漸獲得美術界的認同，也為此類型的創作明確定名與定位。至此，「全省美展」設立「膠彩畫」部門便也順理成章。

另一個林之助竭盡心力扶助而卓然有成的便是「中部美術協會 (7)」（即「中部美展」）。那是在 1954 年 3 月時，林之助結合了臺中地區的美術界人士：顏水龍 (8)、陳夏雨、葉火城、楊啟東……等人組成「中部美術協會」，企圖在中部深耕及推廣美術活動。

據林之助的直傳弟子曾得標 (9) 回憶，林之助擔任「中部美術協會」會長達 35 年之久，當初雖獲有若干企業界人士支持，但經費仍顯著不足，也無固定的展覽場所，迫使林之助必須輾轉向各級學校、圖書館、公家機關請託借用展出，同時還親自參與作品的搬運與布置，甚至四處奔波募款以挹注開支。幸而在林之助的帶頭努力下，「中部美展」漸趨穩定，會員人數也漸次擴增逾 150 人，更為中部培養了無數優秀畫家。

除了「中部美術協會」的竭盡心力，為「膠彩畫」定名的林之助，為了大力推廣「膠彩畫」，更進一步著手「臺灣省膠

2000 年，林之助。

踢躂膠彩｜臺灣膠彩畫之父林之助

彩畫協會」的設立，並於 1981 年 12 月正式成立。

　　創立「臺灣省膠彩畫協會 (10)」之後，林之助親任理事長
12 年，即使在經費拮据窘迫的情況下，依然堅持每年編印畫
冊，更設法照顧會員，例如以平價供給繪畫顏料等措施。由於
受到林之助的熱忱感召，中部企業人士紛紛慷慨解囊，會務因
而得以順利推行，也不再發生財務棘手的困境。

　　僅僅藉由上述三大項目，即能窺見畫家林之助除了不斷戮
力於創作，對於美術活動更是積極投入和犧牲奉獻，尤其在他
居住的中部地區，貢獻更是深遠廣布。

　　此外，值得一提的是，林之助受邀加入扶輪社不僅帶動了
社會人士收藏美術作品的正面風氣，日後對他所創立、領導的
「中部美術協會」、「臺灣省膠彩畫協會」的推動也都分別提
供了長期的協助，堪稱一項意外收穫。

　　除了以上旺盛的創作活動而獲致豐碩成果之外，畫家林之
助長期任教於臺中師範學校（今臺中教育大學），教導小學教
師的美術教育，亦為其極大的貢獻。出身臺中師範的畫家，尤
其是膠彩畫畫家，人才濟濟，如：黃登堂、謝峰生、曾得標等
人都有較高深的造詣，而曾得標及謝峰生又分別培養了許多再
傳弟子。此外，在東海大學兼課期間，林之助也陸續培養出詹
前裕、李貞慧等傳承衣缽的膠彩畫家。

　　而為了擴大美術的影響力，在小學缺乏美術課本的年代，

林之助更親自編印教科書，在學生黃登堂的協助下，甚至親自行銷中部多所小學，提供小學美術教學法。從事美術教育的林之助，教學精神與創作態度相一致，始終是個孜孜矻矻、篤行不倦的實踐家。

| 藝術旅程的重要標記 |

綜觀畫家林之助的一生，大約可由以下幾個方面評價其具體成就及歷史定位。

首先，詹前裕指出，林之助作品筆觸的細緻靈巧，以及用色的雅致亮麗，幾乎獨樹一幟，暫無人足以超越，尤以花鳥題材的表現為甚。也正是因為這種特色，使得林之助的花鳥作品博得了廣大群眾的欣賞與喜愛。

其次，美術評論家謝里法 [11] 認為，1977 年時，林之助率先「提出繪畫以所用媒劑作命名的理念，如以粉為材料者為粉彩、調油作畫者為油彩、調水作畫者為水彩、調膠作畫者為膠彩」，自此為「膠彩畫」定名，也為「膠彩畫」尋獲在美術領域中的定位，是臺灣美術發展史上相當重要的里程碑。其後，林之助更組成了「臺灣省膠彩畫協會」，開始規模化與定期化地推廣膠彩畫。

最後，在既有的省展之外，林之助為了振興臺灣中部的美術活動，又率先組織「中部美術協會」，而且事必躬親，舉凡

【右頁圖】
囍日／1947 年／絹本·膠彩／53×67cm
居家前面有戶人家辦喜事，一簾隨風飄揚的紅布掛在門上，在敞大的白布帳蓬下格外亮眼，總舖師還有阿婆、助手、小孩各忙各的，透過畫家簡明妥貼的捕捉造形，表現臺灣那個時代的生活軌跡，樸實親切，留下最佳的證言，為表現東方人的藝術智慧，適時運用水墨渲染寫意及工筆寫實技法，更有本土的時代性。（私人／收藏）

搬運、布置等瑣碎雜務也都親自投身其中,實為一位值得敬佩
的長者。而此種親力親為的精神也發揮在公益團體「扶輪社」
等各種活動的參與上。

在美的世界與天地,林之助緩步其間,所遺足跡深刻而紮
實,不僅僅是一名單純成就藝術的畫家,其超越性的作為在臺
灣美術史上也已留存下了不容忽視的歷史定位。

以藝術淬鍊的學生時代

第一章

林之助雖然擁有良好的出身，卻從不憑恃富貴而驕奢，在豐沃的泥土中，孕育大膽的夢想；家庭希望林之助成為醫生，他思考過後，報考藝術大學，求學階段也成為影響他相當大的人生歷程。受藝術薰陶的林之助，在棄醫尋美的逐夢過程裡，運用一雙精巧的手，觀察敏銳的眼，淬鍊真善美的心。

曾得標／撰

日治時期，至日本內地求學的臺灣本土仕紳子弟，以醫學居多，文藝則以西洋畫、東洋畫、雕塑、工藝、音樂等為主。昭和3年（1928年），林之助前往東京就學，開始接受新知與東、西文化的薰陶，在當時的臺灣子弟中，他是極少數的富家學生，有幸專心追求自己的夢想。父親本欲他學醫救人，然而自小就手巧靈活的林之助，熱愛塗鴉，創意無限，獨特的求美心思源源不絕，尤其鍾愛東方情緒美，因而考進了美術大學，開創藝術大業的人生。

| 孕育藝術家的「福厝」 |

　　林之助的祖父林維修是前清秀才，精擅詩書與藝術，家中洋溢著書卷氣息及藝術芳香。父親林全福（1884年～1976年）秉持祖業，善於經營理財，使家產更豐，擁有百甲以上良田，更擔任日治時代神岡庄的庄長（1920年～1934年），而定居的大宅院「福厝」宅第的故事至今仍傳為鄉里趣談。

　　彼時的臺灣是傳統農業社會，一般佃農辛苦耕作整年的報償，除了得以三餐溫飽，也所剩無幾，唯獨地主田頭家才能享有較優渥的生活。

　　故事起自當時一位居住於大雅的田頭家欲建蓋一棟大瓦厝，遂鳩工興建，然而俗話說「起厝按半料」，意指蓋屋預算將會倍增，就在預算即將不足，進退維谷之際，這位興造者不

林之助父親林全福與母
親林愛玉，1960 年代攝
於福厝前。

知不覺來到了豐原街（葫蘆墩）找算命仙卜卦，當時算命仙給
了他一句指點迷津的話：「厝若好，福就到！」聽聞此言，這
位地主心想既然等房子完工，他的福氣就會來臨，於是下定決
心續建工程，四處借貸終於完成「福厝」。由於雕樑彩繪花錢
又費時，待大厝落成時，這位起造人終至負債累累宣告破產，
「福厝」便由財力雄厚的林全福所購得，也就應驗了「福厝好，
全福來」的卜言。

　　說起「福厝」，屋如其名，立足於此大宅院的林家，不僅

【下頁圖】
福厝／1936 年／紙本‧
膠彩／117×80cm
林之助的出生地「福
厝」，是一棟兼具中西
建築樣式的特殊宅地，
既傳統又摩登。（本作
品於 1999 年 8 月中遭竊）

以藝術淬鍊的學生時代

錢財豐裕，家中成員個個知書達禮，才華出眾，福澤廣佑子孫；占地千坪的閩南式三合院，屋脊翹簷，棟樑壁間的彩繪妍美精緻，庭院四處植被花木，鳥語花香，坐落於大雅上楓村的世外桃源地。

　　將鏡頭拉近，可見到「福厝」的正廳樣式別具一格，造形相當新穎又十分引人注目，封簷板採用西方木造哥德式，屋脊的設計則呈現流暢水平，加以通風口的構築，成為一大特色。

綿綿水田／1970年／絹本‧膠彩／24×30cm
林之助的故鄉福厝呈現著一片天人合一的自然原始風貌，因而孕育了一位靈秀豐美的藝術家。（私人／收藏）

以藝術淬鍊的學生時代

29

步口的廊柱部分，上色青綠，頂緣處飾以西洋飾紋樣線腳，員光則改用花罩，有西洋式花草，又有中國傳統捲雲紋或荷葉造形；而一般的關刀栱，也改為象鼻，上方的八角斗呈圓形，垂花吊飾則予以省略。一抬頭仰視，便可見捲棚左側空間，為西式天花板，雖然主體結構為閩南樣式，卻處處融有西方建築特點，此種折衷手法恰恰傳達出當時臺灣社會對於東西方特色交融的喜愛，而此種建築風格也被視為一種風尚流行。

至於宅第的外圍，前院有蓮池、花園環繞，後院更有大片纍纍果園，四周則是綠籬樹林交雜包圍，呈現一片天人合一的自然原始風貌，輔以林家一望無際的水田漠漠，得天獨厚的地理環境孕育了一位靈秀豐美的藝術家。

| 富而不驕的林之助 |

時間來到大正6年（1917年）2月2日，林之助出生，「福厝」添增喜訊。

林家家大業大，雇有長工和婢女十多位，依照當時習俗，林之助被稱為「助舍」，儘管有專人服侍，排行老三的林之助卻總是事必躬親，不願以少爺身分差遣僕役。

某次婢女打了一盆滿滿的水，搖搖晃晃地端入房內，要幫他在睡前洗臉、泡腳，林之助見狀卻立即起身，彎下腰，捲起褲管，直說自己來就好，使女傭驚奇不已，心中暗忖：「怪了！

全家上下只有三少沒有嬌性！」

　　孩提時期，林之助隨同父親外出時，經常見到沿路的佃農與鄉民對兩人熱情地打招呼：「頭家好！三少爺好！」、「庄長伯好！」一幕幕場景讓林之助深切體會到父親平日善待基層勞動者、慷慨襄助鄉人的行止，為此他總十分自豪。

　　另有一次，林之助行走於狹窄的田埂時，巧遇了一位老佃農自另一端走來，就在二人相會不遠處，老佃農一腳踏入溼軟的田地，斜著身子讓出路來，口說「三少爺請」，此時林之助卻絲毫不計較地主和佃農的社會階級差異，也將一腳踏入田裡，歪斜著身體說「長者請」，再一步步走過老佃農身旁並致謝。

　　上述幾例在在彰顯出林之助的謙沖態度，而尊重與肯定每個人的存在價值及重要性，向來是他為人處世的根基，在他傳承畫藝之餘，也總以此作為教導學生做人處事的準則。

12 歲的林之助，就讀小學六年級。

| 精巧的手與敏銳的眼 |

在上楓村恬靜優雅的景色中，林之助同時培育出對鄉村自然風光的喜愛情懷，而村民純樸善良的心，也陶冶了他溫和踏實的個性。每當童稚的林之助玩耍疲累時，總是獨自一人趴伏在欄杆上賞花、觀鳥，欣賞上天賞賜的多彩世界，有時思及眼前妍麗的花朵終會凋零、靈動的鳥兒也會死亡，藝術家易感的心也不禁感傷起來，更由此發覺了生命當下的可貴。

有關林之助認知到自己擁有特殊繪畫天分的時間點，約莫是在大正 12 年（1923 年）進入大雅公學校之後。在這段求學期間，學校的書本與圖畫無一不令他有如魚得水般的歡欣，他不只在美術課上認真作畫，閒來時還會信手拿起枝條，直接就著沙地塗鴉，而課本每頁空白角落也都有他繪滿的各式各樣圖案，同時還按照了書本的空白頁次，細心畫上人物的分解動作，如此一來，當快速翻頁時，就能產生視覺影像暫留效果的「動畫」漫畫。

這種信筆畫圖的習慣也一直延續至林之助八、九十歲時，那時年邁的他身邊都還留有小紙張，以便能隨筆圖畫女性時髦的線條稿，而那些姿態律動近乎完美的新潮女郎，亦為大師潛意識裡的女性形象表現。正因為不停動筆繪畫、用腦思考，林之助也長期保持著眼、腦、手的協調，而這種持續不懈、自我

鍛鍊的長青精神，促使他直到 2007 年都還能有隨意設計繪的創作問世。

除了與生俱來的繪畫才能，林之助的手巧在童時玩伴口中夙負盛名，舉凡泥塑的玩偶、木製的小玩具、竹蜻蜓、唧筒、弓、笛，都是取材於生活周遭的手工藝品，他不僅能親手製作成品，還會動腦花心思改良，使作品的造形更生動美觀，娛樂性質更高。

綜觀林之助所以能有如此精巧手藝，無非與其天生獨具敏銳的觀察力有關，而其豐富的情感及追求完美的個性，也形塑了日後膠彩畫大師的藝術特色與風格，成為名副其實的完美主義的實踐者。

| 啓航東京的汽笛聲 |

林全福身為鄉里富豪仕紳，一向極為重視子女的教育問題，其固然認為子女留在臺灣也能接受近代學校教育，但相較之下，東京地區的學校教育在多元性及豐富性方面占有較多優勢；此外，就發展性而言，臺灣本地男性若想追求安穩又成功的行業，林全福以為當醫生是個好選擇，如能盡早將孩子送往日本內地求學，便能早日適應環境接受最優良的教育，也將有助於從容準備應考。

在上述的考量下，昭和 3 年（1928 年）林之助讀畢大雅

公學校五年級後，是年春天 4 月便在父親的安排下隻身前往日本東京繼續學業。面對這樣的安排，年僅 12 歲的林之助並無任何不情願或不安的情緒，加上父親每個月又固定寄送六、七十元高額的生活費（一般職工、教員所得二十多元），確實有助安定林之助年幼的心，而人生地不熟的他也先被安排寄宿於東京舅父家，一切處置十分妥當。

出發當天，林之助攜帶一身行囊、懷著興奮的心，趁天色未亮就搭乘人力車趕赴豐原火車站搭頭班快車北上，等下午三、四點到達基隆後，再到港口登上生平首次搭乘的蒸汽大輪船「大和丸 (12)」。隨著輪船汽笛響起了「嗚——嗚——」的啟航笛聲，林之助擠身在甲板上，努力自多不勝數的乘客中朝向高空伸出小手，襯著星夜揮別岸上送行的人們，最終船身緩緩筆直地駛出基隆港，帶領他乘風破浪，勇敢無懼地航向人生的下一站——東京。

歷經四天三夜漫長的海上航行後，啟程後的第四天終於由九州門司進入日本本州，並在終點站神戶港靠岸。甫隨人群魚貫下船，尚分不清楚東南西北，林之助就得急忙拎著行李繼續趕路，搭車前往目的地東京都。到達東京後，先是寄宿在親人舅父家中，待一切安置妥當，緊接著就要開學，東京府新宿區淀橋第二尋常小學正是林之助繼續六年級學業的學校。翌年 3 月畢業後，林之助順利進入了東京府新宿區的日本中學。

由臺灣鄉下公學校轉往東京求學，前後的文化與生活有著相當大的落差，為此他特別注重口語發音，很快便學得一口道地的「東京腔」，融入了全新的生活環境。昭和4年（1929年）進入中學高校後，雖然父親是臺灣大地主，但受傳統觀念影響，仍舊寄望他學醫，由於早期在臺灣當醫生（先生）不只能衣食無缺，還能救人濟世光耀門楣，也因為擁有較高的地位與名望，因此分配財產時都可獲得兩份。

彼時的東京正處於東、西文化交流的轉折點，各式各樣的思維、活動紛然雜陳，一片朝氣蓬勃的景象，甫入青少年期的林之助躍躍欲試，欣然接受一切新知，其昂揚的能量盡現於對美學的敏銳度，總是班上圖畫課的最高分。有一回林之助受同學央求協助完成圖畫作業，待老師發還作業時，同學獲得的分數是甲，竟然還高於林之助，消息傳開後，全班哄堂大笑。

除了圖畫成績技冠全班，林之助其餘各科表現也不俗，尤以體育方面更為突出，不只溜冰、乒乓球樣樣拿手，由於他的運動神經極佳又勤於練習，因此更在中學四年級時就被擢拔為軟式網球校隊。這在當時可說是破天荒的例子，能代表學校參加春、秋二季的校際網球比賽是件重要大事，而林之助果然不負眾望，連續兩年奪冠為校爭光。此後每當提及這段輝煌成績時，林之助總會順手做出揮拍動作，彷彿當年那位身著雪白球衣、縱橫馳騁於球場的林三少俐落身影的再次重現。

1932年，林之助（右一）與日本中學網球選手合影。

雖然在校表現亮眼為人稱羨，但也使他更容易遭受同學的排擠與嫉妒。某次林之助被幾位同學團團包圍，極不友善的氛圍讓空氣瞬間凝結，正當他感到萬分為難之際，突然靈機一動，開口詢問當中一位人高馬大的同學來自何處，果然如他所料是來自於臺灣的學生，因此林之助便以臺語和對方交談，順勢化解了危機，而有意思的是，日後兩人還結為好友，自此林之助更處處受朋友維護。

┃ 棄醫尋美的逐夢之旅 ┃

度過光榮的球場時光，在日本中學高校即將畢業之際，林之助面臨了父親對他就讀醫科的期待。逢此人生規劃的關鍵決斷期，埋藏於林之助內心深處的質疑卻始終揮之不去：是否真要報考醫科，當一位醫生以符合父親的期許？這種期待著實令

他感到為難。林之助左思右想，苦惱一陣，但一想到：「當醫生從早到晚待在醫院，聽患者這裡痛，那兒不舒服的表情，人生真苦喲！」即使收入豐盛又有何樂趣可言？家中早已富裕無虞，就算當上醫生返鄉，也不過是炫耀

1935年，林之助就讀東京帝國美術學校一年級。

於鄉里，「福厝」少爺當「先生」受人誇讚一番，但這一切於他卻毫無任何意義。經過一番思索，林之助毅然決然放棄醫學轉而成就自己摯愛的東方藝術，報考美術大學。

昭和9年（1934年）林之助考進東京帝國美術學校[13]（今日本武藏野美術大學），本科日本畫科。當時東京日本美術界正區分為兩個主要流派，一是上野東京美術學院派，主張以理論為基礎，構圖設色嚴謹理則性畫法；另一以武藏野美術大學為主，強調寫生與直觀的作畫方式，崇尚自由風氣，呈現多彩活潑開放近代畫風。

由於顧及上課的便利性及畫圖所需的大空間，林之助選擇遷出寄宿六年的舅父家，改在電車「小田急線」的沿線「成城

以藝術淬鍊的學生時代

學園前」站附近，承租一家米店二樓寬敞的房舍，規劃成起居室和畫室空間，自此每日搭乘電車往返於住家與學校之間，展開他亮麗又多彩的美術大學生活，安妥建築藝術春秋的夢想並專心實踐。

肇因於對東方文化情緒美的喜愛，因此分科選課時，林之助所擇本科為日本畫科。當時美校更聘有日本當代兼具名家與實力的四位教授：奧村土牛、山口蓬春、小林巢居、服部有恆，每週輪流到校授課督導，平日並由講師助理教學、課程為期五年。至於學習內容，首年著重於花卉、靜物，第二、三年專攻鳥禽、動物，及至第四、五年則以人物為主軸，並區分為著衣與裸體兩類。

首日的課堂上，美校教授開宗明義便道：日本畫源自中國，無論是想法、畫法、空間、構想，皆屬東方文化的情緒思維，與西洋畫有所不同，因此在筆墨線條的運用上，寫生與直觀便不能僅止於注重外表形狀，應由內而外加以思考。教授的這番話使林之助體悟出「感覺寫生觀」的重要性，認知到作畫不只是形似的追求，更重要的是呈現出內在的「個性」。因此，自入學起始，林之助便嚴謹要求自己每日必用毛筆或鉛筆寫記周遭我見事物，即使在電車上也不忘口袋的畫簿，隨時捕捉有意思的場景，紮實的寫生技巧也就在他累日的經營下漸趨純熟，對於創作的基本概念也聚積了為數不少的心得。

那麼教授實際的指導情形又是如何？林之助回憶，在每週一次的四位教授共同巡視指導學生畫圖的班級大畫室中，當教授觀看學生擺放在畫架上的作畫情形時，大多是沉默寡言而非直接給予技法上的指點，至多只向表現頗佳的學生表示：「嗯，不錯！」由此可知，學生們要能有所獲得，必須自行體會教授「以心傳心」的教學法，這通常可藉由觀察教授的眼神、表情和氣息，揣摩出教授所欲提醒的要點、畫面上的欠缺，也正是這種教學方式適切地訓練出創作者的「想」不能單是「空想」，

東京帝國美術學校的授課教授，右起分別為：小林巢居、奧村土牛、服部有恆。

以藝術淬鍊的學生時代

39

姿／1938年／紙本·膠彩／180×90cm
與人一樣高的比例，精準描繪盛裝的少女，身軀、頭、手、腳的方向動態，在單純的長方形畫面，每個都是重點互相牽引，善用對比方式，呈現清晰明朗的少女性格，左手後方皮包與稍彎的右腳互動，讓端莊的姿態，青春洋溢。（私人／收藏）

因而也對林之助往後的創作有了相當大的助益。

擁抱藝術的咖啡館時光

在這段學養時期，林之助也經常和同學相約課後前往「喫茶店」（咖啡館），點上一杯咖啡，不單談論彼此的創作，還會針對作品進行一番辯論。然而在此之前，人人都必須先具備大量的書籍閱讀基礎，藉此建構藝術創作的正確觀念與學理的理解深度，當能清楚掌握各個繪畫名作的技巧優異處，呈現個人自修的涵養後，參與這場「武林大會」時，方能順利暢談，快速吸取養分，耳、眼、心五感同時開展，不斷淬鍊與提升自我藝術表達的層次。

而課餘時光積極接觸各類藝文活動亦為林之助用以培養內涵氣質的方式，位於畫室外街角的「森永咖啡館」即林之助經常光顧的處所。他時常一邊品味咖啡的香與甘，一邊聆聽店內播放的音樂沉思，若遇值得入畫的圖像及色顏時，便馬上著筆速寫，他說：「在咖啡館的時光，是精神放鬆的狀態，沉思對於創作者靈感的啟迪，是必要的。」

另外，岩波書店出版的口袋西洋文學名著（文庫本），則是他上、下課通勤時必備的精神食糧。在歌德、托爾斯泰、拜倫的筆下，喚醒他童時即具有的潛在人性良知，特別是杜思妥也夫斯基（Dostoyevsky）[14] 的《罪與罰》更令他感觸良多，

岩波書店出版的岩波文庫是林之助重要的精神食糧，啟發他對於人道主義的思索與追求。（林景淵／提供）

書中滿懷仁慈與寬恕的人性探索和他的人道主義人格特質不謀而合地產生共振。

而在舞蹈方面，林之助則獨鍾於踢躂舞，他總能將音樂律動的感受性表現得淋漓盡致。談到音樂時，孟德爾頌的小提琴協奏曲 (15) 便與他浪漫的性格互為契合，而貝多芬的第六交響曲〈田園〉、第九交響曲〈合唱〉也是他經常聆聽的名曲，美妙的樂曲不僅令他感動不已，更數度感慨淚下，曾說：「沒有名畫讓我感動，但樂曲卻使我震撼流下眼淚。」除了西洋古典音樂之外，日本的傳統音樂也打開了他的心扉，他更因此誠心拜師一位老婦人學習「三味線」(16)（日本的三弦琴）彈唱日本傳統戲曲，由此體會到進退禮教。

在美校期間，林之助始終創作不輟，除了課業成績名列班級第一，更具備提出作品參加當代的全國性美展賽事的能力，例如〈黃昏〉（1938 年，194x190 公分）即入選第二屆新興美術院展、〈米店〉（1939 年，195x150 公分）入選第 26 屆日本畫院展。最終，林之助毫不意外地以其亮麗出色的畫歷成績，寫下了該校最優紀錄畢業。

1938 年〈黃昏〉入選第二屆新興美術院展。

驚豔畫壇的崢嶸歲月

第二章

深層剖析林之助，只有「藝術」的成分了。跳舞的肢體藝術，踢躂的節奏藝術，
繪畫的美感藝術，專情一意的愛情藝術，都是林之助深厚的底蘊：專心地創作讓
林之助獲得許多榮譽，而當他從畫作之間抬首，望見〈朝涼〉之中的美麗女子，
巧笑倩兮，美目盼兮……

曾得標／撰

林之助豐美厚實的內涵、英俊瀟灑的氣質與幽默風趣的談吐，虜獲無數少女的芳心。縱然如此，天性真誠的他，從帝國美校到兒玉畫塾的青少年時期，逕是心無旁騖地埋首創作，專注藝業的精進，自勉更上層樓。持守著這股精神與毅力，林之助不僅是帝國美術學校本科日本畫科出身的首位新文展入選者，同時也成為兒玉畫塾七、八十名弟子當中，少數入選帝展、新文展的佼佼者，躋身日治時期臺灣藝術創作者入選日本最具權威帝展光環的十大名家行列。

1938 年，林之助在伊東旅行，於碧湖畔寫生。

| 踢躂獨舞的愛情哲學 |

出身殷實的林之助，未曾因此變得驕縱無節制，或鬆懈赴日本東京留學的本意，始終秉持著莫大的使命感，期許自己將來能為臺灣故鄉美術界有所貢獻。當時對於赴日求學流言蜚語不斷：到日本留學的弟子哥們，根本無心念書，都忙著跳交際舞玩樂。即使身處複雜的環境，林之助仍相當潔身自愛，斷然拒絕舞會時尚、避免接觸這些場合氛圍是他一貫的作風。

因著絕佳發達的運動細胞和高度敏銳的節奏音感，林之助

新宿所見／1937 年／紙本‧膠彩／80×117cm
〈新宿所見〉是林之助留學日本，住屋附近著名的餐館「中村屋」，所販售的咖哩飯美味馳名；由二樓窗戶望去，可以俯視新宿街上比鄰的商家，用餐之餘把所見的景致，隨筆速寫下來。（本作品於 1999 年 8 月中遭竊）

在東京初見舞者踩踏俐落的舞步、配合身體的自然律動、帥氣地獨舞踢躂時，便立刻深受著迷。為此，林之助還特地找了一間專門教授踢躂舞的舞蹈教室，報名學習正規舞法，勤練舞藝，樂此不疲。

雖然習舞不久，但由於他的身段外貌與音律節奏優異突出，足以媲美專業舞者，因此還曾受「大塚電影院」老闆賞識邀請演出，正式登臺踢躂獨舞，獲得如雷掌聲。隨著聲名遠播，知名的「寶塚舞蹈團」也主動邀請他表演，每場十元的優渥酬勞在當時也替林之助賺取不少外快。笑談這些經歷時，林之助自我調侃道：「如果將酬勞全拿來吃咖哩飯都會吃到拉肚子了！」直到九十餘歲，踢躂舞仍然是他持之以恆的最佳健身娛樂法。

帥氣迷人的林之助走在東京街頭上（約攝於1938年）。

林之助之所以獨鍾踢躂舞，除了和舞蹈天賦有關，也與他獨特自持的愛情哲學相契合，他認為：「社交舞男女摟抱熱舞之餘所產生的難以割捨之情慾，會誤了雙方一生。」因此，在高速急迫的人生節奏裡，他選擇以毫不含

糊的態度踢躂出負責的每一道聲響。此般忠貞和諧的家庭愛情觀，也正是他踢躂獨行的瑰寶。

| 情緣乍現朝日微涼 |

昭和15年（1940年）3月是林之助進入兒玉畫塾的第一年春假，趁著空檔返回臺灣老家度假，由於已年過23卻仍無心儀對象，使得雙親頗為焦急。

某日母親林愛玉到豐原出席彰化高等女子學校當屆的畢業晚會，見舞臺上有位外貌甜美迷人、舞姿曼妙、亮麗搶眼的氣質才女，當場眼睛一亮。待晚會結束後，林母便忙著四處打聽，原來是王彩珠小姐，甫由彰化高等女子學校畢業，豐原人。當下林母即決定扮演起月下老人，替林之助牽起了這段姻緣紅線。

有生以來的首次相親，林府、王府雙雙細心邀約，地點就選在豐原鎮上的名醫陳水潭先生家中。為了緩和緊張氣氛，主人還熱心地擺上跳棋桌，讓男女主角邊下棋邊交談。所謂「知子莫若母」，埋首於藝術創作無

1940年，正值24歲盛年的林之助。

19歲的王彩珠在長輩的牽線下與林之助相識，成為白頭偕老的伴侶。

暇戀愛的林之助果然動了情思，對王彩珠一見鍾情，墜入愛河，竟至無心手下棋局，最終雙方和樂收場。

有了美好的會面情趣，交談話題又舒暢歡愉，後續兩人不意外地展開約會，攜手散步、喝咖啡、看電影、看展覽，越發確定對方就是自己真正欣賞的終身伴侶。春假來到尾聲，林之助即將返回東京時，兩人各自向雙親稟明共結連理意願，訂婚儀式遂順利舉辦，同時也訂下了11月初成婚。

婚姻大事已定，林之助帶著惦念王彩珠的心情回到東京，深感此後責任重大，必須在畫壇揚名立萬，方不愧對雙親和未婚妻。於是，林之助決定在婚期前半年完成作品進軍新文部省美術展覽會（簡稱「新文展」，原帝展改組後的名稱），向日本全國畫壇權威挑戰。巧合的是，昭和15年（1940年）正好是日本天皇制實施2,600年，因此當屆的新文展也冠上了「紀元二千六百年奉祝展」的名稱，同時擴大舉行。

關於這件向家人證明實力、表徵心意之作，林之助決定以未婚妻為畫作主角，畫室附近的牽牛花圃為背景，再輔以公羊

和小羊相襯。由於畫作尺寸極為龐大，高 283 公分、寬 182 公分，因此單是構圖的經營就費時兩個月。

畫面中採站姿的女主角是以高挑身材呈現，主要以尚在日本求學的妹妹穿著和服的身影勾勒出線條，臉龐則以彩珠為參考，接著再拉開喻己的公羊和心愛者的目光，藉此代表東京到臺灣的遠距念情。不過，巨幅畫作難以安置於二樓畫室，因此若要欣賞全貌，也只能將畫作斜倚牆壁，再爬出陽臺，踩在鄰家的屋脊上，方能窺得全作，以便修改。

盛夏時節，在沒有冷氣設備的畫室裡，林之助日以繼夜揮汗如雨地用心創作，他曾說光是調配一個色譜就要塗繪上二、三天，若遇創作瓶頸，他也只是苦思煩惱一陣，未曾輕言失志放棄。面對挫折的林之助，總是選擇特意裝扮整齊，先出門享用一頓美食，再返回森永咖啡館，啜飲一杯咖啡香，藉由變換不同情境以重啟思維，冀望尋獲答案和生機，等轉換成好心情後，他就再度折返畫室繼續作畫！有趣的是，林之助的朋友和

1940 年 11 月，林之助與王彩珠正式結為連理。

附近店家也都十分清楚這是他為自己打開心結的良方，日後只待觀察步出畫室的林之助的打扮，便能得知他的作畫情況。

　　炎夏已過，時逢入秋。某日清晨睡醒時，林之助披衣漫步，不知不覺履至他所取材的牽牛花圃，卻立即被眼前的景色吸引震撼不已。只見微薄日光穿透陣陣晨霧巧妙灑落在牽牛花架上，原為鮮綠、粉紅、深紫的牽牛花圃竟似褪去光彩的色澤，鋪灑上層層淡灰，此番光景意境不只令他怦然心動，也為他解決了為時已久的畫作難題，林之助當即奔回畫室，調出一大盤霧白顏色，大幅調整背景，匠心獨具終於完成畫作，題名〈朝涼(17)〉。

| 韻味十足的不足大作 |

　　10月初美展開始收件，林之助抱著完成有生以來最佳創作的輕快心情，特別雇用一輛小貨車幫忙將〈朝涼〉搬運到上野美術館會場。待辦妥送件手續欲離去時，順道觀看了其餘參賽作品，當即預感自己定會入選。

　　林之助深感輕鬆愉悅，卸下了肩上的重擔，重回畫室開始打包行李，接著再到畫塾向學友打招呼，報告自己在臺灣11月的婚期，暫時告假返臺。

　　臨行前估算了美展的流程，主辦單位寄發通知應是他還在臺灣忙著處理婚禮事宜時，為能早日得知結果，林之助便請託住在一樓的米店屋主，若接獲通知立即打封電報到他臺灣家

【右頁圖】
朝涼／1940年／紙本·膠彩／283×182cm
以未婚妻為模特兒，仰首的公羊是作者的化身，正是相隔兩地，相戀相思的寫照，〈朝涼〉清新出塵如詩如夢，被掛在會場第四位置是每回展覽比賽慣例特選第一名的地方。此作由國立臺灣美術館列為重要文物典藏。

中，內文只要寫「入選」或「落選」即可。未料，米店屋主聽完竟哈哈大笑：一般慣例是美校畢業十年後才得以入選，絲毫不信這位臺灣來的年輕小伙子具有這種超前的實力。接著，又語帶玩笑地說：「好！我會通知你，如果你入選，我就從店裡倒立走到新宿驛站。」房東所說的這段路程按一般步行約需十多分鐘，長約兩公里。

結果是有眼不識泰山的房東先生在 11 月初就接到了新文展寄來的通知書，上面蓋著的就是「入選」兩個大字！驚慌之餘，房東趕緊以電報知會人在臺灣的林之助。隔天 11 月 9 日就是他成婚的大喜之日，林府上下正忙著張燈結綵布置福厝，沒想到此時又傳來了電報。林之助眼見郵差手拿一大疊電報，即知自己入選，立刻興奮地向雙親和未婚妻宣告佳音，真可謂雙喜臨門善因果。

新婚後的林之助偕嬌妻林王彩珠展開蜜月旅行，一到東京畫室放下行李，旋即迫不及待前往上野美術館 (18)，「紀元二千六百年奉祝展」新文展會場。正當他準備掏腰包購買入場券時，售票小姐一眼便認出他是〈朝涼〉的作者，不僅頻頻向他賀喜，還作揖邀請這位新科入選畫家免券入場，使林之助和愛妻受寵若驚，原來當時的報紙和《美之國雜誌》早已大肆宣揚報導過他。

牽著愛妻進入美展會場時，林之助忍不住大吃一驚。原來

1940 年，林之助伉儷於
日本東京新婚旅行時留
影。

〈朝涼〉不僅入選，還被懸掛在首要的「第一室」第四位置，
而依帝展慣例，這正是懸掛特選第一名作品之處，使林之助驚
喜不已，一時難以置信。其實〈朝涼〉正是當屆最受青睞與重
視之作，當時報章所公布的日本畫科新入選名單，林之助就是
名列首位。

　　刊載於美術雜誌《美之國》內，由藝評家藤森順三執筆的
〈奉祝展の日本畫〉，特地提及了林之助的〈朝涼〉：「特別
談不上什麼。如果說不足，它確實是幅不足的作品。但是比起
其它作品，這一點卻恰恰構成其它作品所稍許欠缺的優點。因
此它之所以會入選，也是沒法子的事。」藤森順三點出了〈朝
涼〉的特色及耐人尋味，正是其餘作品無法比擬之處。

　　其後，林之助偕同新婚妻子訪友拜師，受到熱烈祝賀，他

不僅是帝國美術學校（武藏野美術大學）本科日本畫科出身的首位新文展入選者，同時也成為兒玉畫塾近百位門生當中，少數七、八位入選帝展、新文展的佼佼者。林之助憶及向兒玉希望師報告喜訊時，學長奧田元宋也代表學員向他道賀，而兒玉希望畫伯則不忘提醒他：「〈朝涼〉你畫得比你平日的實力更好！」此話除了讚賞林之助不可限量的潛力，更包含了他勝不驕、敗不餒的態度，諄諄期許弟子日後能更加努力朝畫藝的廣袤天地邁進。

｜ 兒玉畫塾裡的璀璨之星 ｜

兒玉希望畫伯（1898 年～ 1971 年），日本廣島縣人，大正 8 年（1919 年）進入川合玉堂門下習畫，深受玉堂倚重。大正 10 年（1921 年）以〈夏之山〉初次入選帝展，並分別於昭和 3、5 年（1928、1930 年）以〈盛科〉、〈暮秋〉獲得特選佳績，一舉成名日本畫壇。昭和 7 年（1932 年），34 歲的兒玉希望以畫壇逸才之姿，受聘擔任帝展審查員，從此奠下畫壇重要地位。在創作風格上，早期講究細膩寫實，爾後逐步往色彩優美的日本大和繪風看齊，並同時探索水墨精神筆法，嘗試融合墨與彩特色新畫風，盛極一時，後為傳承藝術精髓，遂成立私人繪畫研究團體。

說到「兒玉希望畫塾」，其嚴格性與競爭性比起專業美術

學校可謂有過之而無不及。林之助回憶道：「儘管兒玉師平常鮮少過問個人的創作情形，但是進入畫塾的學員們比起美校學生，在心態與人生目標上，都更明確地想要成為專業畫家。因此畫塾內充滿著自動自發的氛圍，每個人都要自己拚，絕不偷閒。」

昭和 14 年（1939 年）3 月初林之助以第一名的成績畢業於帝國美術學校，緊接著 4 月立即正式成為「兒玉希望畫塾」的門生，繼續研究精進畫藝，較之其他學長還要努力於創作。憑著一股起自榮譽感的力量，甫入畫塾不久，林之助就選擇租屋處一樓，經營米店的房東一家人為模特兒，〈米店〉也在同年 5 月入選第 26 屆日本畫院展，並被一家著名餐廳「畫敘園」以 150 元的價格收購典藏，懸掛於餐廳的醒目位置。

同年，林之助又以經常光顧的咖啡館「森永糖果商店」店內女侍為作品題材。由於他與店家甚為熟稔，某日來客稀少，其中三名女侍圍聚暖爐前，一邊取暖一邊閒聊，此幕景象立刻啟發了林之助，他當即喊了聲：「拜託，不要動！」便迅即拿起隨身的寫生簿，快速描繪女侍們的身影，再返回二樓畫室勾畫〈小閑〉（195x150 公分），生動地捕捉三名女侍放下手邊工作，稍作歇息的輕鬆模樣。

觀賞〈小閑 [19]〉一作，畫面左方的女侍側面屈膝，伸出雙手靠向煤油火爐邊取暖；右方的兩位女侍則採正面站姿，其

1939 年在東京畫室中沉思的林之助。

一雙腿交叉，雙手拿著托盤置於背後腰際，像是剛結束工作，而從圍裙口袋外露的點餐簿是一臺戰車的圖案，暗示戰爭時代，至於中間的女侍兩腳開立、手舉至腰間，像似隨時可轉身為客人服務。此外，女侍穿著寶藍色制服與潔白頭飾、衣領、圍裙，全圖極其巧妙地對比配色，亦使畫面顯得生動活潑。

〈米店〉入選第 26 屆
日本畫院展（1939 年／
195×150cm）。

　　後來，林之助便以〈小閑〉入選了第四屆兒玉畫塾展，作
品現為臺北市立美術館典藏。隔年，憑著過人的魄力與意志力，
林之助再度創作了〈朝涼〉，挑戰日本畫壇的權威，當屆新文
展，「紀元二千六百年奉祝展」，博得最搶眼新人入選風采，
大作現為國立臺灣美術館 (20) 典藏，並獲評選為「重要文物」，

受到國寶級的保護。

　　雖然在兒玉畫塾進修的期間，林之助創下了諸多優秀殊榮，但他並不以此自滿，反而更嚴謹自我要求；畫塾也固定於每月 20 號舉辦研究會，每位門生都要攜帶作品參加，接受互評考驗。

　　其中，每年 1 月 20 日的研究會最受重視。昭和 16 年（1941年）初春，研究會於東京四谷見附「三河屋」樓上隆重公開舉辦並廣邀媒體記者到場採訪。當時記者們特別關注去年甫入選「紀元二千六百年奉祝展」的新秀林之助，在報導文中也將林之助與其他已享盛名的奧田元宋、北村明道等 11 名代表門生並列，可見當時林之助在畫塾的重要排行地位，而更難能可貴的是，林之助又以〈斜陽〉一作獲取新春研究會的第一名，並被刊登於報章，再度證明他未來之星的實力。

　　昭和 15 年（1940 年）11 月時，林之助攜手新婚妻王彩珠來到日本東京，打算長住日本，一展鴻圖，後來果然在日本畫壇打響了名聲，知名度也傳遍臺灣，臺灣藝術界莫不想早日一睹這位明日之星新興畫家的風采。及至昭和 16 年（1941 年）林之助受楊三郎、李梅樹、李石樵 (21) 等臺陽美協創始會員之邀，提出作品參加 4 月底的第七屆臺陽展，也正式成為了當中的一員。

第
三
章

離日返臺的豐美行迹

第二次世界大戰之後，由於情勢不佳，林之助偕妻從日本回到臺灣，太平洋戰爭
全面展開時，林之助便決定定居臺灣，並將自身所學教付給任教處的臺中教育大
學之學生，又自編教科書，把美感融入教育，由淺入深的教學使學生們受益匪淺，
也更明白藝術的價值。

曾得標／撰

二戰末期，日本內地充滿著肅殺的戰爭氣氛，美國所展開的一系列封鎖政策使對立的美日兩國陷入一觸即發的開戰緊繃狀態，也讓遠在臺灣的林之助父母焦急不已，頻頻催促夫婦兩人盡快返鄉，更何況王彩珠臨盆在即，實在無法承受動亂驚嚇。礙於情勢所迫，林之助不得已偕妻告別兒玉畫伯，返回臺中大雅故鄉，不久太平洋戰爭全面展開，林之助遂定居臺灣發展所學，透過積極參與新美術活動，提高臺灣的藝術水準與美術教育環境，企求以美改善人民的生活。

| 掀起二戰的時代之風 |

昭和 16 年（1941 年）8 月 1 日，美方下令全面凍結日本人在美國的所有資產，並禁止飛機燃料和機具輸往日本，美日兩國瀕臨開戰邊緣，遠在臺灣的林之助父親十分擔心他們的安危，尤其當時王彩珠已懷胎九月，因此屢屢催促兩人盡速回臺待產。

經過一番深思，林之助隨即向兒玉老師和師母稟告詳情。對此，兒玉畫伯大表惋惜，更勸言：「你年僅 24 歲便入選了新文展，又受報章及評論家盛讚，既然擁有如此優秀的實力，便應留在日本內地中央畫壇繼續努力，若此時返回臺灣的鄉里，恐難以保持競爭力，進而影響到自身前途，未來將很難一展鴻圖啊！」除此之外，兒玉畫伯還向愛徒林之助表示，若是

擔心戰時留在日本內地的經濟問題,自己能介紹一些愛好圖畫
的贊助者給他,以確保其生活無虞。

　　面對兒玉師的這番勸誡和美意,林之助仍然決定先行回臺
與父母商量後,再返回日本畫塾,繼續創作。於是,該年 8 月
中旬後,林之助僅攜帶簡單的行囊和一卷畫作同行,其餘大量

畫作暫且留在畫室，便挽著大腹便便的妻子坐上開往臺灣基隆的大輪船。

四天三夜的海上航程就此展開，輪船後方白花花的浪頭無言地推著船身快速前進，從甲板上望去，日本九州的陸地已漸行漸遠。林之助帶著愛妻回到船艙休息，打開收音機卻傳來「帝國國策遂行要領」的相關報導，以及東條英機上臺組閣的消息，聽聞這樣的訊息，林之助忍不住在內心大聲喊叫：「糟了，這下子日本鐵定要和美國打仗了，這麼一來，我還回得了東京嗎？」

待林之助夫妻二人踏上臺灣本土回到臺中大雅「福厝」老家時，已是 8 月 20 日了。自昭和 3 年（1928 年）春天到日本東京求學，至昭和 16 年（1941 年）秋季回臺，歷經漫長 13 年

1941 年戰爭末期，離臺 13 年的林之助踏上了返回臺灣的渡輪，即將在臺灣展開新的膠彩人生。

光陰的分離，此刻父母親的關懷與安心盡顯無遺。

　　不久，和母親一樣有著甜美面容，天生音樂才華的小千金，長女林長華誕生於涼爽的 9 月初。林長華可說是林之助的最愛，她不僅為林之助一家帶來了莫大的歡樂，也讓他暫時忘卻無法返回日本兒玉師門下的沮喪。身處動盪不安的時代，林之助依舊保持著積極而樂觀的創作態度，同時選擇將重心拉回臺灣，視臺灣畫壇為著力深耕之地。

｜以〈母子〉重返臺灣府展榮耀｜

　　那麼，林之助的起手式為何？首先，他選擇以「臺灣總督府 (22) 美術展覽會」，簡稱「府展」，為藝術創作的競賽場地。這年的 10 月他以攜自日本的作品〈冬日 (23) 〉參加第四屆府展

1942 年，〈母子〉一作
（135×165cm）獲第五
屆府展特選第一名總督
賞。

東洋畫部，未料在 10 月 23 日公布的入選名單中，〈冬日〉雖
如預期入選，但卻未能入圍特選五名。此般成績讓林之助深覺
有檢討與反省之必須，故而暫停一個月全無新作。由於林之助
以自日本畫室樓上之窗鳥瞰新宿街上的冬日晨景來參賽，題材
與府展所需展現的臺灣特色精神契合度不足以致成績不盡理
想，因此當即下定決心，明年第五屆必須加倍努力以表現一己
實力。

　　懷抱著堅定的意志，林之助觀賞參考第四屆府展的作品，
在昭和 17 年（1942 年）10 月時，便以妻子和長女坐立於前院
荷花池旁的石椅上為畫作主題，完成作品〈母子〉，送件參賽

好日／1943年／紙本・
膠彩／165×135cm
〈好日〉以夫人與長女
為模特兒，造形經過無
數次的精簡修正。此作
參加第六屆府展得特選
第一名總督賞，評審委
員望月春江讚賞有加，
認為人物畫中最優秀的
作品，「其人物色彩與
背景相當調和，特別在
肉體表現上，不使用陰
影，而以線條與色彩巧
妙地描繪出實際的感
覺。此種表現方法對於
此次取材人物的參賽畫
家而言，應該特別值得
參考」。（私人／收藏）

第五屆府展東洋畫部。果不其然在10月18日發表特選作品時，
〈母子〉名列該屆特選第一名，並獲頒總督賞，一掃去年失利
的遺憾，大顯日本帝展入選的紮實功力。

　　翌年，林之助再接再厲，又以〈好日〉二度獲得第六屆府
展特選第一名及總督賞的殊榮。擔任第六屆東洋畫部評審委員

離日返臺的豐美行迹

的望月春江，給予〈好日〉極佳的評論：「其人物色彩與背景相當調和，特別在肉體表現上，不使用陰影，而以線條與色彩巧妙地描繪出實際的感覺。此種表現方法對於此次取材人物的參賽畫家們而言，應該是特別值得參考的。」望月春江盛讚這件優秀之作，認為畫作是值得臺灣東洋畫家學習的傑出榜樣。

之所以能獲此殊榮，除了與林之助 (25) 在東京奠定的紮實畫功有關，也繫於他一貫堅持完美的創作態度。誠如其在得獎感言中所透露的，在〈好日〉的創作初期，礙於繁瑣雜務，以致創稿時未及理想，總得修正再修正，徒然浪費許多時間，加上對人物的素描態度、畫面色感的配合，因完美性的追求而深感頭疼不已，放棄的念頭更屢屢浮上心頭。不過，「隨著送件截止日期越來越接近，變得連細細品味畫面的餘閒也沒有，只是一味忙著完成，這是令人感到不好意思的事情。但是我在創作上，始終未曾產生過諂媚大眾的不純心情，這種創作態度也一向是我個人值得誇耀之處。今後我將永遠保持這份心態，向諸位前輩求教請益，以為臺灣美術界盡一份微薄之力。」

連續兩屆拿下府展東洋畫部特選第一名總督賞，證明了林之助在日本中央畫壇帝展的實力，更激發了他的企圖心，繼續積極準備，要在昭和 19 年（1944 年）的府展大展身手保持蟬聯首獎，進而升級為「無鑑賞」畫家。奈何太平洋戰爭越演越烈，局勢益發緊張，遂再無力辦理第七屆府展，只能匆匆喊停，

以待戰爭的結果。

| 夾縫中的生與思 |

昭和 19 年（1944 年）因戰事吃緊，臺灣府展被迫停辦，
林之助三度蟬聯首獎的願望隨之幻滅。這件憾事著實讓他誠心
要為家鄉貢獻、拓展畫業的抱負頗有一番時不我予，幸好他天
性樂觀，並不陷溺於怨天尤人的悲情，此時又正逢民生物資短
缺，林家為了因應戰時的糧食政策，即使貴為大地主三少爺，
林之助也跟著捲起褲管、戴上斗笠，下田播種插秧，過著一般
農夫的生活。面對這段轉折，親身體驗佃農辛勞的生活經驗，
林之助反而十分感激也反思所謂的人親土親，家鄉臺灣每個人
的存在價值和辛勤打拚的精神所在。

這段期間，林之助也接受了臺中州美術展覽會會長森田俊
介的邀請，受聘擔任昭和 18 年（1943 年）2 月舉辦的第六屆
臺中州美術展覽會「日本畫部」的審查員，翌年連任，直到昭
和 20 年（1945 年）停辦為止。儘管這三年親自推動臺中畫界
發展的經驗不長，但卻足以讓林之助在戰後的時時刻刻思索如
何透過美術教育、繪畫活動等等實際行動來打造「臺中文化城」
的理想。

昭和 20 年（1945 年）8 月 6 日、8 日美軍分別以原子彈
投擊日本廣島與長崎兩地。日本昭和天皇於 8 月 15 日透過廣

離日返臺的豐美行迹

播向全世界宣告日本無條件投降,《馬關條約》前將化外之臺灣割讓給日本,五十年的日本統治就此畫下句點。所幸臺灣在二戰期間未受聯軍登島焦土激烈戰火的破壞,新局面和新時代的到來也令人充滿無限期待。也就在這年年底,林之助和妻子林王彩珠、長女長華、長男宏一遷居臺中市公館模範街(民權路)。不久,妻子便產下次男宏次。

第二次世界大戰後,對中華民國而言是從烽火中解放,加上國民政府又多得了臺灣這塊寶島,無奈尚未享受到抗戰勝利的喜樂,緊接著又爆發國共內戰,終至 1949 年丟失了大好江山,政府遂全面遷移到臺、澎、金、馬。

其後,臺灣自 17 世紀以來的貿易特性,日本在臺灣的各項建設及教育成效,國民政府盡皆予以否認打壓,甚至連兩千年前在中原河洛地方所使用的優雅古語「河洛話」也被壓制成為方言,不能公開使用,而日語更是成了奸賊叛逆話,臺灣高度的文化水準及良好的體制建設備受壓迫,臺灣也被視為占領地,此般心態使得知識分子苦不堪言。可喜的是,雖然環境氛圍壓抑圍限,臺灣美術先進們卻仍亟思美術的播種和水準的提高,紛紛南北奔波,冀望藝術文化仍能保有持續發展的空間與舞臺。

1946 年時,林之助受臺灣省立臺中師範學校校長洪炎秋的聘請,擔任該校美術教師專職,同期的還有西洋畫廖繼春

(26)、雕塑陳夏雨 (27)，三人曾入選帝展三傑。順此因緣，林之助一家五口便遷入位於柳川西路上的教師宿舍（現為林之助紀念館）。1947 年，三男林敬忠出生。另外，臺中師範是在 1960 年改制升格為臺灣省立臺中師範專科學校，後又改制為學院，2000 年代才升格為國立臺中教育大學。

　　當時擔任美術教師的林之助並不能以臺語、日語授課，這與政府規定使用「國語」（普通話）有關，而他為免到臺北國語研習班暑期深造，只好邊學普通話邊教書；此外，也被禁止

林之助任教於臺灣省立臺中師範學校，四個孩子也相繼出生、長大，居住於柳川西路上的教師宿舍。

離日返臺的豐美行迹

教導「東洋畫」。不久後，1947 年 2、3 月間發生了「二二八事件」，臺中農學院（中興大學）、臺中師範、臺中商業學校……等不少師生、知識分子紛紛遭受株連，雖然林之助平日言談幽默見解獨到，卻極少批評人，值此混亂時刻他也要求學生保持沉默，莫在動亂時局強出頭，因而也保護了血氣方剛的年輕學子平安度過這段不平靜的歲月。

| 爲中部美協歡喜也甘願 |

　　戰後的 1946 年，「臺灣全省美術展覽會」在公署諮議楊三郎、郭雪湖的建議下舉辦，延續過去「臺展」、「府展」，首屆「省展」設置了國畫部，延聘林玉山、郭雪湖 (28)、陳進、陳敬輝、林之助擔任評審委員；西畫部有楊三郎、藍蔭鼎、李

1946 年林之助（左）在戰後回臺後，與同為藝術家的廖繼春（中）、陳夏雨（右）致力於推廣中部地區的美術活動與教育。

踢躂膠彩｜臺灣膠彩畫之父林之助

梅樹、陳清汾、劉啟祥、李石樵、陳澄波、顏水龍、廖繼春擔任；雕塑部則由蒲添生負責評審。因此，在臺灣從事美術活動的藝術家，仍如往昔般擁有競技的舞臺，人人無不歡欣鼓舞。

由於戰前林之助曾擔任臺中州美術展評審委員，推行社會美育，貢獻己力於中部地區的藝術活動，深感為臺灣中部五縣市培植美術人才的必要性，因此 1954 年 3 月便和先進顏水龍、楊啟東、張錫卿、邱淼鏘、江燦琳、陳夏雨、葉火城、李克全、王爾昌、洪孔達、賴高山、王水河、張炳南……等，在郭頂順、張煥珪、徐灶生、蔡惠郎、藍運登幾位仕紳的贊助下，成立「中部美術協會」。「中部美術協會」是採會員及公募方式對外徵件，入選與得獎作品聯合公開展出，提供藝術競賽發表平臺，並給予獎金鼓勵，年復一年，無數美術家崛起於此，爾後成為臺灣本土美術發展的重要支柱。

「臺灣中部美術協會」舉辦中部美展迄今已 64 屆，林之助擔任創會會長更長達 35 年之久，憶及當年募款舉辦展覽的艱辛時，他曾笑言：「為藝術做乞食，歡喜嘛甘願。」為 30 元、50 元的樂捐款卑躬折腰在所不惜的態度確實令人動容。

不過，第 1 屆到 25 屆的「中部美展」就像遊牧民族，每年都為了尋覓展覽場地四處奔波，前後曾向臺中市立一中、宜寧中學、中央書局、臺中市綜合大樓、省立臺中圖書館、中山堂、市議會、市民活動中心等租借過場所，會長和會員們也都

必須攜帶著存放工具的布袋與木條、布幕，親自搭建展覽會場、搬運畫作、布展、拆展等繁複艱難的工程執行，直至1978年，何永先生捐獻全國第一座文化中心「文英館」，才終止這段顛沛流離遷徙展覽的日子。而這段會員們胼手胝足、同甘共苦為藝術打拚的歲月，也凝聚了中部地區藝術家的向心力，更堅定其守護美術活動的使命感，同時提攜了無以數計的美術人才，最終成功打造出「臺中藝術文化之都」。

中部美協歷經倪朝龍 (29)、簡嘉助、張淑美接棒推展，到今日廖本生的執掌，會員已有172位，堪稱全國四大美術團體最具規模水準的組織，非但歷史悠久，體制完備，更提振興盛了文化藝術水平，實是亙古彌新生生不息。

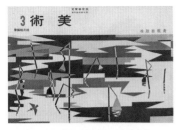

由林之助操刀設計的美術課本。

| 攀登全民美育的大山 |

臺中師院任教 33 年，面對講臺下的師範生，一群肩負未來臺灣美術教育的重任者，而非矢志畫藝的創作者，林之助認為課堂的教導重心理當偏重於美育理念的傳達，以及提升「真、善、美」的認知層次。而為了落實美育在臺灣教育的確切實施，自 1960 年起，兢兢業業的林之助便以私人「青龍出版社」的方式，積極投入國小美勞教科書的編撰，而後觸角更逐年向上延伸至初中、高中彩色精印的美術教科書的編印與推行。

在國小美勞教科書的編著上，主要是由林之助與任職附小美術教員的膠彩畫門生黃登堂，兩人合力編排內容以及扛起興臺印刷廠彩色印刷出版的相關工作，師生二人默契絕佳地「自編自導自演」了一齣艱困出版事業的精采戲碼。

離日返臺的豐美行迹

首先，教科書「自編」，師生有志一同，決心不走抄襲路線，要為臺灣編輯出一套專屬於兒童的美術教科書，因此書中的文字說明皆由自己動筆。在示範作品的選輯上，則來自全省兒童作品，這和堅信不宜將大人模仿兒童畫法的「假」兒童畫，或將大人的作品移入國小教科書中的信念有關。此外，勞作的步驟過程也都出自二人的精心設計與努力，這也成為教科書很快取得教育廳頒發審查合格的一項助力。

　　獲得初步成功之後，緊接著便是銷售的問題。由於書商和各校的合作有其淵源與生態，欲在短期內說服校長改用林之助編著的美術教科書並非易事，因此必須採取第二階段「自導」的推銷工作。

　　某日林之助師生共乘一臺機車到達一所國小，正當他們準備進校拜訪校長時，卻苦於不諳人事，甚至也不清楚校長是何人，「怎麼辦？」就在內心感到些許慌亂之際，意想不到的是，甫入校園未走幾步即有老師跑上前來打招呼大喊：「老師好，林老師好！」原來是臺中師範畢業的學生，兩人遂向同學說明來意，詢問是否方便帶他們拜訪校長？就在巧妙地見到了校長時，不意校長竟也向林之助行禮道：「林老師好！」原來校長也出身於臺中師範，經面商後，兩人很快就取得了訂單，開始在中部五縣市順利建立起銷售網，由於教材內容廣獲好評，訂貨量便也跟著不斷增加。自此，每逢開學，林之助師生二人「自

演」騎著「史庫達」摩托車，充當送貨員，來回穿梭於各校之間的身影，便成了校園中一幅動人的畫作。

有了國小美術教科書的經驗，到了 1970 年代，林之助也陸續投入初中、高中美術教科書的出版。然而，這也讓人不禁好奇，林之助之所以如此積極投入出版美術教科書的理念與目標究竟為何？

針對這個疑問，透過林之助編輯的初中、高中美術教科書，我們獲致關鍵解答。依據「編輯大意」，指出了他的編輯方向與內容，乃是由易入難、循序漸進，除了介紹世界繪畫潮流之外，「特別摒棄臨畫式的教材」，其最終目的在於「引起學生對於美的認識，具有新觀念，進而培養學生對於造形的創作與興趣，以提高其生活修養」、「學生得有廣泛欣賞與研究的機會，以培養其愛美的情操」、「充實學生對於美的認識，了解世界美術思潮，激發其創作的精神以美化日常生活」。由此可知，林之助是以美的傳達為使命，企圖由教育方面著手，全面性地推展美育。

林之助的編輯理念也引發了畫友同事的共鳴，除了同校的美術老師王爾昌、鄭善禧 (30)、張錫卿，畫友楊三郎、顏水龍、洪瑞麟、藍蔭鼎、林玉山、馬白水、賴傳鑑、蕭如松、張淑美等人，均紛紛加入書中示範畫作的提供。擁有如此堅強的師資陣容，再加以林之助對於版面的編排，自繪活潑的封面設計，

促使這套美術教科書很快就大受歡迎，廣泛提供教學使用，對於全民美育的推廣和影響至為深遠。

| 咖啡香裡有藝術的孔雀咖啡畫廊 |

青少年時期留學日本東京，咖啡香撫慰了林之助思鄉的心，深入品茗與鑽研後，更讓他深感芬芳與奧妙。觀賞咖啡豆與沖泡方式的搭配，以及調製者的不同，一杯小小的咖啡竟可演繹出各種耐人尋味的香氣和苦味，對林之助而言，這與他平日面對畫面的色彩表現，深思各個用色的色相、明度、彩度的搭配，實有異曲同工之妙。

1968 年，一顆愛戀咖啡、理解咖啡的心，催生出「孔雀咖啡畫廊」，選址臺中市光復路 60 之 3 號合作大樓下，中庭有「聯美大歌廳」。除了懷抱「好喝咖啡大家分享」的理念之外，最重要的是希望昔日在東京咖啡館所感受到的人文氣息也能潤澤臺中。心思細膩的林之助還親自精選店內播放的樂曲，並懸掛各家畫作，冀望客人在享用美味咖啡、餐點之餘，也能獲致聽覺、視覺的雙重感動，藉由親身體驗「美」的存在，喚醒收藏畫作的慾望，不只有助畫家的傑作走進人們的生活，對於美育的推展亦為一股正面、馨香的力量。

「孔雀咖啡畫廊」飄香十年，直到 1978 年才轉讓他人經營，儘管休止符已然畫下，其甘香其芳美，至今仍未散逸。

【右頁圖】熱愛咖啡的林之助開設「孔雀咖啡畫廊」，希望為臺中注入濃厚的人文氣息。時任臺灣省主席的謝東閔特地蒞臨光顧。

離日返臺的豐美行迹

捍衛膠彩的畫室春風

第四章

林之助最擅長的仍然是膠彩畫，卻面臨政治的打壓——第二次世界大戰過後，國民政府撥遷來臺，除了禁止老師教學使用臺語或日語，當時遭到政治性誤解的膠彩畫，也受到種種限制。因此，林之助在家中的「竹籬笆畫室」培育有志於膠彩畫的學生，並持續為膠彩畫正名，東海大學終於在 1985 年首創膠彩畫課程，膠彩的創作與未來就此邁步前行。

曾得標／撰

戰前林之助留學日本東京，學習源自中國北宗畫派的東洋畫，參與各項美展比賽屢獲殊榮，一舉躍身為畫壇的耀眼新星，後因二戰爆發，選擇返臺奉獻故鄉，自此積極發展臺灣的新美術活動。終戰之後，臺灣改朝換代，經濟轉趨蕭條，一切建設停頓，物價飛漲，無論是政策性打壓臺灣的新文化及語言，1949 年實施的三七五減租，或是幣制改革以舊臺幣四萬元兌換一元新臺幣，種種施政都使百姓苦不堪言。

當時林之助任教於省立臺中師範學校，美術課程的教授也受限於水彩、素描、色彩學。由於他擅長的北宗繪畫遭受政治性的誤解無法在課堂上傳授，只好私下在家中的「竹籬笆畫室」培育有志於膠彩畫的師範生，用畫藝澆灌一群未來的師資

戰後從日本回到臺灣的林之助，在民生凋敝的臺灣依舊堅持著膠彩畫創作與教學推廣。

種子，使臺中成為發展膠彩畫的重鎮，後來更推及全臺蔚為風氣，林之助當年的高瞻遠矚確實功不可沒。1977 年 2 月時，林之助為膠彩畫正名，突破各界長期的爭議與誤解，1981 年又創立了臺灣省膠彩畫協會，影響所及，林之

助於 1985 年的東海大學首創膠彩畫課程，膠彩畫的創作與未來就此邁步前行。

| 竹籬笆畫室的課後教學 |

臺中師範、師專、學院、教育大學都曾留有林之助教授美術課的身影。33 年的教學歲月，林之助桃李滿天下，廣受學生愛戴，甚至連他任教多所學校的校長、主任、老師也都曾是他的學生。

1947 年，三男敬忠出生為戰後苦悶的生活帶來安慰。礙於複雜的政治因素，當時林之助在課堂上的教學僅限於水彩、素描與色彩學。儘管處處受限，為了傳承膠彩畫，林之助便利

用課餘時間在「竹籬笆畫室」指導學生。「竹籬笆畫室」是林之助宿舍的畫室，由於畫室外牆有竹籬笆圍籬，學生便以此來暱稱。

到「竹籬笆畫室」的學習除了完全免費，還能自由

林之助桃李滿天下，臺中師範、師專、學院、教育大學都有林之助教授美術課的身影。1966 年，林之助與學生曾得標（左）、同事鄭善禧（右）合影。

使用各種膠彩顏料，師母更會費心地準備水果點心，學生有時甚至會留下來與老師一起用餐，當年林之助夫妻二人的恩德讓受教的學生們終生難忘。

在林之助悉心的指導下，日後在膠彩的藝壇賽場得名的入室弟子依序為：黃登堂、羅阿龍、李懷義、林星華、陳石柱、陳日熊、陳錦添、江宗杜、施華堂、林榮輝、廖大昇、張漢濱、陳媄如、黃朝湖、蔡其瑞、沈旺朝、謝峰生、柯武雄、曾得標、陳仁介、黃茂盛、詹前裕、陳慧如、李貞慧、趙宗冠、蘇服務……等。其中，陳石柱、廖大昇、謝峰生、曾得標、詹前裕、趙宗冠、李貞慧又傳膠彩畫藝於第三代如簡錦清、陳淑嬌、廖瑞芬、陳騰堂、倪玉珊、陳英文、張貞雯……等人，三代再傳至四代，這股源源不絕的傳承活力終於成為現代臺灣膠彩畫的堅實支柱，也成功打造了臺中為膠彩畫重鎮 (32) 的美譽。

【左圖】來過「竹籬笆畫室」的學生對老師與師母的恩情終生難忘。不但免費學習，師母更會費心招待茶水點心，讓學生感受到老師對他們的關注與照顧。

【右圖】為了傳承膠彩畫，林之助利用課餘時間在「竹籬笆畫室」指導學生。「竹籬笆畫室」是林之助的畫室，由於畫室外牆有竹籬笆圍籬，學生便以此來暱稱。圖攝於 1962 年，林之助在「竹籬笆畫室」。

| 膠彩畫的正名之役 |

　　膠彩畫是源自中國古代唐、宋以膠繪彩的「院體畫」中重視寫實和色彩的北宗畫系，後來傳至日本成為其主要的文化藝術，歷經明治維新引進西洋藝術思維，遂發展出迥異於西洋畫風格的繪畫，日本稱之為「日本畫」。

　　日治時代，臺灣的藝術前輩們先後到日本美術大學大多是選擇西洋畫、東洋畫、雕塑……等作為學習目標，學成後再返臺發展，改變三百年來臺灣藝術文化的傳統形式。

　　細數臺灣膠彩畫的發展歷程，從日治時期備受重視，盛極一時，及至改朝換代，遭受來臺的中原傳統水墨畫家誤解與排擠，甚至威脅要將膠彩形式的國畫第二部逐出官辦美展的舞臺。遺憾的是，1974 年，第 28 屆的省展首次取消了國畫第二

當許多畫家們紛紛改以油畫、水墨、水彩為重心，或轉為從事其它工作，林之助不但依舊堅持於膠彩畫的創作，更為膠彩畫展開一場正名之戰。

捍衛膠彩的畫室春風

孔雀開屏／1982年／紙本・膠彩／130×194cm
為迎接第一屆臺灣膠彩畫展的開展，特別以〈孔雀開屏〉祝福膠彩畫的推展，從此順利發展出美麗的一片天。林之助為畫孔雀而養孔雀，每天觀察孔雀習性，並以工筆翎毛的寫實功力精雕細琢地規劃潤飾，也抒情地釋出華麗內蘊的氣質及卓然不群的威儀。（私人／收藏）

部，往後的黑暗十年，畫家們紛紛改以油畫、水墨、水彩為重心，或轉為從事其它工作，僅餘極少數人仍堅持膠彩創作，這種轉變與挫敗對於膠彩畫家而言，可謂致命的一擊。

身為膠彩畫的愛好者，林之助堅毅創作的意志並未受當時社會氛圍影響，僅為同屬東方繪的中國畫，「北宗」寫實風格的膠彩畫遭受「南宗」煙雲風格的水墨畫排擠感到不甘。面對這種現象，林之助反覆思索，認為膠彩畫被當道者誤為「日本畫」十分不妥，因此早在1972年時，他便在編著的高中美術

教科書《美術2》第七課〈形式、技法、材料〉篇，對「國畫部」第一、第二部的媒材特性作出了如下區分：「水墨畫就是墨彩畫，重視墨水的濃淡，必須一氣呵成；膠彩畫屬於我國古代的工筆畫，礦物質、土質顏粉和動物膠水混彩使用上色，需要相當經驗和技巧，才能運用自如。」

在此階段，林之助一方面自媒材差異來區別，一方面自歷史淵源來闡明，隨後又提出「膠水畫」的名稱，試圖以此淡化1950年代以來質疑全省美展「國畫第二部」血統的政治性言論。儘管後來「膠水畫」之名並未如預期獲得廣泛肯定與進一步推展，然而卻對往後「膠彩畫」命名的過程，尤其是名詞定義的主軸設定，浮現先驅性的象徵意義；同時，這也充分展露出林之助對於膠彩畫的關注與用心，其洞察時代問題所付出的努力，積極為國畫第二部的畫家尋求脫困的使命感著實令人景仰。

與此同時，林之助也深感單憑民間的力量不足以全面發展北宗細膩寫實畫風，又自全省美展開辦以來，「國畫部」的爭議大多環繞於「日本畫」、「東洋畫」、「國畫第二部」⋯⋯等等定義性的問題，因此便決定改由畫種名稱的改革來著手。1977年，林之助在美術月刊雜誌《雄獅美術》2月號上，正式提出了「膠彩畫」的名稱，言明：「水墨與膠彩，各有其高妙之處；只能依特性有所選擇，而沒有高下之分⋯⋯。全省美展合理的制度應該是分墨彩與膠彩兩部⋯⋯使繪畫者各依所好，

林之助對於「膠彩畫」正名的呼籲，透過報章雜誌的宣傳，終於獲得藝術各界的肯定與認同。1988年，林之助與參展人員合影於省立美術館舉辦的「第7屆全省膠彩畫展」。

充分地發揮畫種的特色。」同年6月，更在臺北市龍門畫廊舉辦了史無前例的「全臺膠彩名家畫展」，積極展現為「膠彩畫」畫家開闢新境的決心和未來展望。

　　林之助因不忍固有的唐、宋院體畫「北宗」金碧系統的國粹在臺灣發展出來的新畫種被誤解為日本畫，曾苦慮道：「東洋畫的材料，筆墨紙絹、礦物顏料、土質顏料等完全和中國畫相同，不但材料一樣，勾勒填彩畫法也是道道地地的中國傳統技法，就連繪畫精神、空間的處理透視方式都一致。有人說唐朝的仕女畫很像東洋畫，其實應該是東洋畫的美人畫為中國唐

朝仕女畫的延伸才對。」因此，林之助倡議以媒材來分類，同時合乎國際慣例，顏料與油混合的創作是油彩畫（Oil color painting），與水混合是水彩畫（Water color painting），而墨與水混合便是墨彩畫（Ink color painting），以此類推，其認為使用礦物顏料、土質顏料與動物膠水混合的創作應稱為膠彩畫（Glue color painting）。

林之助對於「膠彩畫」正名的呼籲，透過報章雜誌的宣傳很快便獲得藝術各界的肯定與認同，尤其是傳統國畫家的支持，以及政府當局的正視和學術單位的認可，都讓社會各界對膠彩畫的看法轉趨開放，進一步了解膠彩畫的淵源面貌及特質。林之助為膠彩畫的竭盡心力，終於使膠彩畫家的未來展露出生機，再無打壓排擠，而得以自由發揮創作的風格和理念，為膠彩畫的前程塗上光明的色彩。

| 捍衛膠彩畫的漫長之旅 |

回顧當時在省展國畫部的評審團裡，國畫第二部的委員備受衛道委員的威嚇，要讓這具有日本風格的新臺灣畫種在省辦的美展裡消聲匿跡。1973 年 9 月擔任國畫第二部五位評審委員的林之助、陳進、林玉山、蔡草如、許深州為求保留這類新美術不致消失，便發起組織民間團體，由林之助提議訂名為「長流畫會」寓意細水長流，又聘請臺北市黃鷗波擔任總幹事，每

年秋季固定舉辦一次聯展，藉以鼓舞膠彩同好繼續深耕創作。彼時「長流畫會」會員有二十多人，前後展覽七屆，後來轉型為「臺北市膠彩畫綠水畫會」，近期又更名為「臺灣綠水畫會」。

果然 1974 年第 28 屆的省展，美其名改組，實則藉此廢除國畫第二部和評審委員。縱然令人惋惜，但危機即轉機，洞察機先的林之助在 1977 年 2 月便為此臺灣新畫種正名為「膠彩畫」，名稱一出普獲各界肯定，就連政府、學校也予以認同。

正名之後的確提供了膠彩畫創作者生存的空間，然而此時林之助卻也察覺到創作者的各自努力就如一盤散沙，這對膠彩

1964 年，林之助為臺南大飯店繪製〈貴妃圖〉。（陳耿彬／攝）

踢躂膠彩 │ 臺灣膠彩畫之父林之助

畫未來的發展力道仍嫌不足，認為唯有組織一個經由政府立案的膠彩畫協會，團結全國同好之力，取得應有的發言權，才有拓展膠彩畫未來的希望。

基於如此遠見，林之助旋即與林玉山 (33)、陳進、許深州、蔡草如聯合發起組織，並授命謝峰生、曾得標巡迴全臺連署，承得林玉山、陳進、林之助、許深州、蔡草如、詹浮雲、謝峰生、曾得標、曹根、黃登堂、王五謝、溫長順、施華堂、陳石柱、黃水文、林東令、林星華、陳壽彝、江宗杜、黃惠穆、侯壽峰、呂浮生、陳錦添、廖大昇、黃朝湖、柯武雄、詹清水、潘瀛洲、曾竹根、李川元、陳仲松、唐士、許輝煌、李源德、王守英、簡嘉助、梁奕焚、游朝輝等 38 位藝術同好聯名簽署，併同人民團體申請書，向省政府社會處提出立案申請。

申請案在 1981 年 2 月 20 日向社會處掛號後，歷經層層把關和細密的安全檢查，最終在同年 8 月 7 日奉省政府社會處 70 社二字第 28383 號准予辦理。期間由社會處派員輔導召開一次發起人會議，三次籌備委員會議，終於在 1981 年 12 月 6 日正式於臺中市立文化中心召開「臺灣省膠彩畫協會 (34)」成立大會，選出林之助榮任創會理事長，領導全臺膠彩畫家，每年舉辦會員聯展，切磋膠彩畫藝，團結眾力聯誼研討膠彩畫的未來方向。同時，也透過研習會的舉辦培育新秀，提升膠彩畫的創作人數，刊印聯展專輯，極力宣傳拓展蓬勃新機。

就在協會的一番辛勤努力之下，終於獲得主辦全省美展的重視，並邀請「臺灣省膠彩畫協會」為省展籌備單位。這正是林之助期待已久的目標，如此一來，協會就能在省展的籌備會議中參與發言，更關鍵的是，林之助適時責成總幹事曾得標以協會名義向省展申訴，爭取獨立設置「膠彩畫部」。

　　對膠彩畫而言，1983 年第 37 屆的省展籌備會議是劃時代的一刻。籌備會議選在臺北市臺灣書局舉行，由教育廳長林清江主持，第 37 屆省展獨立設置「膠彩畫部」的議題終被提出，未料竟遭國畫部呂評議委員反對，幸經膠彩畫協會代表曾得標據理說明，化解誤會，又得林玉山、楊三郎評議委員支持：國畫就如戲劇裡的平劇，膠彩畫是歌仔戲，兩種都是戲劇，各有特色，贊同膠彩畫部設置。自此，第 37 屆省展正式設置「膠彩畫部」，37 年來省展國畫與膠彩畫的紛爭終於畫下句點。此後各種官辦美展紛紛設置膠彩畫部，讓膠彩創作者備感重視和尊嚴，開始啟程翱翔。

　　這正是林之助睿智的願景，為使膠彩畫開花結果，林之助不屈不撓、無怨無悔的奉獻有目共睹，而他對膠彩畫的貢獻及影響更是深遠廣博。林之助不僅是「臺灣膠彩畫捍衛者」、「導航者」，更是膠彩畫後繼者口中名實相副的「臺灣膠彩畫之父」。

︱膠彩畫在東海大學開課了 ︱

　　膠彩畫的傳承教育 (35)，原本就是朝著學校及畫塾兩大途徑發展，二者相輔相成，培養出有志膠彩的畫家。戰後初時，由於臺灣處於戒嚴的非常時期，在威權統治及仇日情緒的高漲態勢之下，對膠彩畫產生了觀念性的偏差，因此當時的正規教育體制並無膠彩畫課程的設置，直到林之助以「膠彩畫」正名之後，省展才重新設置「膠彩畫部」，一掃膠彩畫教學的阻礙。

　　其後適逢政府開放各大專院校發展在地特色的風潮，時任東海大學美術系主任的蔣勳三顧茅廬造訪林之助，表達誠意邀

【左圖】林之助致力於創作外，也注重教學傳承。圖為 1955 年林之助帶領學生，在臺中中山公園寫生。

【右圖】受到東海大學美術系主任蔣勳三顧茅廬的邀請，林之助於1985 年正式在東海大學教授膠彩畫。圖為 1988年，林之助攝於東海大學。

1985 年林之助在東海大學授課的景象，不吝將寶貴的經驗與學生分享。

請，直至 1985 年 9 月終獲林之助首肯，帶領助教曾得標來到位於大肚山上的東海大學美術系，開創國內大學美術系膠彩畫課程，東方媒材必修課，如此展開了每週二風雨無阻上山傳教膠彩畫的三年時光。爾後再由詹前裕、李貞慧接棒執教，導正美術教學的途徑，繼而推廣至研究所、博士班，從此奠定了膠彩畫專業的學術地位。

東海大學的成功，也引起其它各大學美術系、院所的爭相效法，相繼廣泛推行至各地的青青子衿，培育無數膠彩人才，匯聚成一股推廣膠彩畫的精實主力，讓膠彩之美賡續連綿不絕，前景宏偉遠大。林之助不遺餘力的無私與貢獻，帶領臺灣膠彩畫藝術界走出困境、步向繁榮，值得後世瞻仰與欽敬。

山麓／1980 年／紙本‧膠彩／ 50×65 cm

穩定的水平構圖，應用各種大小面積、繁簡、虛實變化，讓原本不起眼的景觀變
得生動親切。山麓的農居生活恬靜又清幽，圖中櫛比的田梗石塊，由大至小，成
功地推展深度空間，巧妙運用色彩的補色關係與彩度變化，讓平面化的石垣反而
覺得繽紛燦爛，值得細嚼回味。中央四合院對分左右，不同比例的黃土與白色，
明亮且均衡，屋後青翠的林相襯托出土塊厝的樸素感，背光的山影深邃，寶藍的
虛幻層面，頗有畫龍點睛之妙，帶出自然與人文和諧生機。（私人／收藏）

捍衛膠彩的畫室春風

下筆畫出扶輪社社旗

關懷社會，體貼人心，幫助弱勢，發揚真、善、美的價值，說明「藝術的理想就是『美』，扶輪的理想就是『善』。善意就是同情心、體貼、謙虛，也就是能替別人著想的意念」之概念，林之助為臺中扶輪社貢獻心力之多，已難以衡量，被尊為「名譽社員」的他，始終相信藝術之美能與和善的靈魂相輝映，成為照亮迷途的明燈。

曾得標／撰

臺中扶輪社是 1955 年經臺南扶輪社輔導、臺北扶輪社襄助，由臺中銀行家、醫師、實業界、工商界、政壇人士等各種職業代表仕紳共同組成的服務性團體，也是臺中區第一個國際性社團。

首任社長是彰化銀行董事長林猶龍，第四任社長郭頂順是位大實業家、慈善家，他同時也是音樂、美術的愛好者，其所創辦的臺中兒童合唱團為臺灣造就出無數優秀的音樂家，對音樂深造的資助亦成為諸多國際知名音樂家的推手。

持著畫筆的林之助不只專注於畫藝上，更為社會出力，參加臺中扶輪社，投入社會服務。

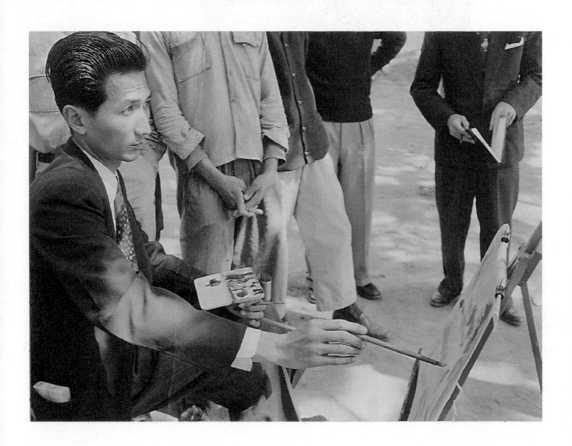

為了邀請藝術界名家加入臺中扶輪社 Art 行列，郭頂順煞費苦心，終於在 1966 年邀請到投身美術師資培育、專心創作和致力推展美術協會的林之助，從此每週五的例會就多了一位談吐風趣又富含哲理的 Art，不只社內氛圍變得更加熱絡活潑，也促進了社會服務。

| 熠熠生輝的藝術善舉 |

在臺中扶輪社的例會上，林之助的身旁總是圍繞著一群社

2003 年，林之助攝於臺中扶輪社。

友，他妙語如珠的趣聞是社友放鬆心情的最佳良方。林之助經常隨手拾起便條紙、紙片、甚至是紙盤，四色原子筆一握，不一會兒，看似隨意圖畫的線條就勾勒出一幅幅身材飄逸的美女圖或半抽象的設計繪，等他大方分送以後，社友們個個如獲至寶，相繼要求簽名收藏，藝術氣息薰染了這些企業家，日後紛紛成為美術活動的贊助者。

為了讓藝術深入社會各階層，林之助總是不辭辛勞攜帶著畫具、畫紙，親訪公家機關各局處首長、工、商、勞界，以及受家庭主婦等請託，隨筆作畫，再費時裱褙、裝框，更分別於1968、1971、1979 年舉辦了前所未有的「非畫家畫展」，具體

為了讓藝術深入社會各階層，林之助總是不辭辛勞攜帶畫具，親訪公家機關各局處首長、工、商、勞界，隨筆作畫，再費時裱褙、裝框，具體實踐藝術生活化的理念。（私人／收藏）

實踐藝術生活化的理念。

　　雖然出身富裕之家，林之助始終尊重勞工、佃農與貧民，也相當關心他們的生活條件。參與臺中扶輪社以後，秉持友誼及服務的「善」念，林之助有了更為深刻的領悟和體會，他非但未曾缺席社團的社會服務活動，包含探訪孤兒院、捐輸救濟貧戶也總不落人後，就如他經常以臺語唸道：「林之助，性本善」一如「人之初，性本善」。

　　1968 年起，林之助還結合美術界舉辦了多次「冬令救濟畫展」，將賣畫所得全數用於救濟困苦，關懷民眾，回饋社會，行「善」助人，落實扶輪社的「善意」宗旨。林之助踏實地結

1979 年至 1980 年度的臺中扶輪社長由林之助出任。即使卸任後，依舊有扶輪社的同伴時常拜訪林之助伉儷。圖為 2004 年，林之助伉儷與來訪社友郭東星合影。

林之助以自由繽紛的幾何抽象構成設計繪，反映其對流行文化、時尚、圖案設計等領域的創新精神，而這樣的設計能力也不吝用在美術創作以外的領域。（私人／收藏）

下筆畫出扶輪社社旗

合美與善的行動，讓生活藝術化、美術大眾化散發出溫柔的馨香與溫暖的光芒。

| 眞善美的 Art 社長 |

　　1979 年至 1980 年度的臺中扶輪社長由林之助出任，適逢臺中扶輪社 25 週年銀禧大慶，在有 60 位海外嘉賓、數百位國內扶輪社員參與的 5 月 21 日慶祝成立 25 週年紀念會上，林之助說道：「藝術的理想就是『美』，扶輪的理想就是『善』。善意就是同情心、體貼、謙虛，也就是能替別人著想的意念。」正如我們常說的「修身、齊家、治國、平天下」，為了追求美的本質，善意沒有終點。又說：「真正的藝術家是要在社會上、教育上、創作上負起典範責任，致力於提升大眾對於藝術的關心與興趣，這麼做的話，不但無形中會提高自我的創作品質，進而變得更加美好，大家想想看，若是每個人見面都會很善意、快樂地打招呼，這將是多麼和諧的場景！」

　　這番以「美」來善化人生與世界環境的理想，絕非不著邊際的妄想，而是林之助長期關注時代、觀察大自然運作法則的心得，是一種不計回報，不求他人注目，保持不亢不卑的開闊胸襟，尊重每一個體的差異與存在。這也正是林之助立身處世的原則，徹底洞察把握特性的「真」、扶輪「善」的宗旨、藝術唯「美」的情操，是身為 Art 社長對扶輪社的精髓身體力行

真善美的最佳表現。

　　臺中扶輪社的日本姊妹社廣島東南扶輪社成立 20 週年時，林之助社長也率領 16 位祝賀團前往廣島祝賀。當時他一上臺祝詞，全場頓時鴉雀無聲，原來是因為大家都以為來自臺灣的社長會說他們聽不懂的語言，殊不知 Art 社長一口流利的東京腔日語既風趣又流暢，讓慶典上的日本社友和貴賓大吃一驚；而他所形容的「扶輪」善意和友誼，也在眾人心中激起陣陣漣漪，令全場為之動容，起立鼓掌，成功完成了一場國際外交，使友誼長存。

　　在扶輪社裡，林之助除了服膺「扶輪章程和知識」為圭臬，從不逾矩行事，也以 Art 專長為扶輪社設計了不少標誌、徽章、雜誌社刊的封面圖像，連社旗也有他的精心再設計。最別致有趣的是，扶輪社 25 週年時，林之助還親手設計了一條藍色臺中公園變化圖案的領帶，他果真是天才，居然把紙做的設計草圖用膠帶貼在白襯衫上，出外參加畫展，而更妙的是，竟然還因此獲得不少讚美，始終未被識破是紙糊的領帶！

　　關懷社會，體貼人心，幫助弱勢，打造和善世界的林之助，1997 年因年事漸高，家人又長居美國，因而僅在臺灣停留短短五個月，儘管時間不長，林之助每年回臺定會出席例會，直到 2007 年為止。此後，林之助也被尊為「名譽社員」，終生為臺中扶輪社貢獻心力。

藝術、運動都是
潤澤人生的養分

第六章

時代造英雄，林之助在戰後返臺，落地生根。縱使政府推行的政策對於林家來說並不優渥，但時代的巨變，沒有扭曲林之助的豁朗！他將身懷的技藝傳承給師範的學生，當年紀大了，又從高爾夫球運動中，得到健康硬朗的舒暢感，回望過往，流過畫室的樂曲、早晨與午後的咖啡，醞釀如膠彩的記憶，在臺灣美術史上留下深刻的燦爛。

曾得標／撰

林之助的日本東京求學生涯始自小學六年級，此後經過日本中學、美術大學各五年青春洋溢的校園生活，畢業後又精研畫藝於名師畫塾中，前後 12 年多的繽紛歲月，除了學校的智育學習，尚有諸多空閒足以發展各式興趣。除了專精的美術本科，林之助發達的運動神經與敏銳的音感節奏，使他無論在溜冰、網球或踢躂舞等等的休閒體能活動上如魚得水，水準更臻職業等級。動靜皆宜的林之助，在靜態如文學、音樂以及咖啡的嗜好品味上亦獨出心裁，優遊自得，成為潤澤藝術人生不可或缺的養分。

| 踢躂、網球博得人生滿堂彩 |

　　第二章提及，在日治時期，臺灣鄉里流傳著赴日留學的富家子弟無心學業，僅耽溺跳舞交際玩樂。所謂的跳舞，即指男女肢體接觸的交際舞，在這種身體互動中暗生情愫時有耳聞。雖然同樣出身富裕，林之助卻十分注重一己形象，不流俗的他於是轉尋日本老師教導踢躂舞步。專注、興趣加上天賦，林之助以其靈活擺動的肢體，搭配著韻律的樂曲響聲，獨舞出自如自適的天地，更受邀登臺「大塚電影院」，舞步俐落，律動自然，踢躂聲響入人心，引得臺下粉絲叫好連連。

　　回臺後任教於臺中師範、師專、師院，即使忙於作育英才，林之助也始終不忘對踢躂舞的熱愛，學生們就經常見到心血來

【右頁圖】自年輕時期開始，林之助就十分熱中於踢躂舞，直到老年，依舊可以看見林之助馳騁於舞臺的身影。

藝術、運動都是潤澤人生的養分

林之助與畫家張錫卿不但同為藝術同好，更是合作無間的網球拍檔。

潮的林之助，在校園一隅獨舞踢躂的曼妙舞姿。此外，學校還特別邀請林之助成立踢躂舞社，每每都受到愛好者的青睞。讓人印象最深刻的是，每學期的校園晚會表演，總能見他身著禮服、頭戴高帽、手執柺杖，帶領著社團學生，演出一段精采絕倫的踢躂舞秀，掌聲如雷響起，昔日盛況至今令人無法忘懷。

林之助的踢躂舞與膠彩齊名，這在臺灣畫家前輩中，尚無人能及。為求精湛的演出，敬業的林之助還會特別訂製多雙舞鞋，於典禮上受邀登臺時帥氣地跳上一段。除了表演的喝采，踢躂舞也成為林之助的最佳健身運動，即使年屆九十多歲，依然可見其輕盈身段，足踏明快響聲，踢躂舞伴隨了林之助一生康健和婚姻忠貞。

除了跳舞，揮汗奔馳於中師網球場則是林之助另一個為人熟悉的身影。當時林之助與同事張錫卿，無論是持拍對打，或

高爾夫球也是林之助的最愛。圖為 1982 年，林之助攝於洛杉磯 Alhambra 球場。

是雙打競賽，總是球場的常勝軍，專任體育的同事常百思不解，殊不知在日本中學時期林之助可是學校軟式網球的校隊，還曾勇奪東京校際比賽的冠軍。行至中年的林之助，重現網球舊技時毫不遜色，揮拍後一身大汗淋漓就是他樂此不疲的明證。

| 老頑童笑語朗朗打出小白球 |

高爾夫球運動極早流行於扶輪社友間，原因之一或許是扶輪運動的發源地正是美國，而高爾夫球又是美國的一項平民運動。林之助加入扶輪社之後，便有同好社友邀他一起打高爾夫球，但他卻嗤之以鼻說：「人這麼高，不打大球，卻去追這麼小粒球。」那時的林之助對此項運動頗不以為然，因此就未加入高爾夫球友。

不過，林之助 64 歲後自教職退休，也同時卸下扶輪社長

藝術、運動都是潤澤人生的養分

一職後，自然多出空閒時間，後來在友人張克仁教練的慫恿下便開啟球場揮桿的人生新頁，此時才發現在藍天綠野果嶺上，與這顆小白球的追逐，其實蘊含諸多人生道理和樂趣。

高爾夫球運動必須依照不同地形，先行觀察風向、斜坡、草紋，甚至是露水、沙坑、水池等等阻礙後，再把小白球打上果嶺，在盡可能最少的桿數中將球推進洞中，整個過程與個人所付出的努力、體力，具備的判斷力和技巧性高度相關，其中運動員的心理平衡和手腳穩固更是一大重點。雖然很多人都把高爾夫球當成一種休閒、社交活動，但 Pro 級的職業球手便會將心思放在球桿的選擇、握桿、揮桿的方法上，以及針對不同類型的球場事先做好研判，以因應每個球道、果嶺的差異，對他們而言，這是一項專業性極高的運動。

就這樣打出了興趣的林之助，開始懂得享受奇妙的小白球

對於林之助而言，小白球不只是休閒與社交活動，更是讓他忘卻煩惱、鬆弛緊繃精神的良方之一。

和果嶺上的挑戰。打高爾夫球除了能增強體力，還有助於忘卻煩惱、鬆弛緊繃的精神，幾乎是日思夜想揮桿之樂的林之助，為此又購買了許多相關的書籍鑽研，或是透過錄影帶學習名家傳授的技巧，若逢不理解處，便請教張克仁教練，說：「我教畫的學生有很多年紀都比你大，但是高爾夫球老師是你。」

對高爾夫球相當投入的林之助，通常一星期揮桿三、四天，連帶縮短了作畫時間，每年大概僅有一、二張作品面世。他對高爾夫球的喜愛也受到定居美國的子女鼓舞，尤其是大女兒長華，子女們都認同健康第一要多加運動，有了強健的體魄，畫圖的事業就會跟著成長，因此也為爸媽買下洛杉磯阿罕布拉寓所，就位在高爾夫球場旁，僅需步行幾百公尺就能一展身手。

就連打球也十分用心努力的林之助，在高爾夫球體驗場上，也總是隨身攜帶著筆記本，認真記錄每一洞的情況。平日就開朗笑語如珠的他，一到球場更是百無禁忌，任何「空顛話」都能琅琅上口，時常逗得大夥兒捧腹大笑，揮打出去的球失去了準頭，輸了中餐的押注金，那幾百元較之賣出百萬畫作還令他感到洋洋得意呢！有趣的是，這些球友們還是相當歡喜邀請老頑童畫家一起上球場打球，而這位平日定力極佳的畫家，聞及邀約，竟也旋即放下手邊的畫筆，快速更換運動服揮桿去了。儘管這段時間林之助的畫作數量減少，不過體力與耐力卻比以往大幅進步，皮膚曬得黝黑又健康，偶爾也會畫出一兩張與高

爾夫球相關的膠彩畫。

　　一年當中，林之助通常上半年留在臺灣，下半年則住在美國洛杉磯的寓所，也因此他打球的頻率相當高。林之助的球友有臺灣人、中國人、墨西哥人、美國白人、黑人、日本人……等，不分種族，不比球技，大家都互相理解與尊重，盡力即為一場好球誼，因而住家附近的球場朋友都與他結為莫逆之交，而來自各方的球友許多都是慕名而來，對於能和名藝術家同場打球更是感到與有榮焉。高爾夫球運動讓林之助廣結善緣，躍身為他人生的嗜好之一，更成為他另一項健身的寶貝。

｜ 樂曲悠揚迴盪在畫室 ｜

　　觀賞林之助的膠彩畫作猶如聆聽一曲優雅的小提琴樂章，悠揚與芬芳自畫中漸次擴散，其巧妙運用的圖像擺設、大小層次變化、色彩輕重、明暗節奏、輕快韻律，在無形中呼喚人們憶起往日片刻與點滴，看畫者的耳際彷彿響著若有似無悅耳的曲調，欣賞者無不陶醉喜愛；也有些作品卻彈奏起貝多芬的〈命運交響曲〉，雄壯澎湃，情緒高漲，是林之助善用明快的節奏達到畫面對比互補而不衝突、和諧的融合效果。每張創作的膠彩畫，從題材選擇開始，到下筆構圖、孕育色感律動，最後完成作品，林之助的畫作總是洋溢著滿滿的音樂氣息。

　　林之助的畫作之所以有如樂音美妙，與其成長於詩樂傳家

【右頁圖】林之助的畫作之所以有如樂音般美妙，與他平時用心欣賞音樂藝術有很深的關聯。圖為 1976 年，林之助作畫中的情景。

藝術、運動都是潤澤人生的養分

林之助於日常中養鳥，以探鳥性。

的家庭密切相關。美術固然是林之助的至愛，但音樂卻是他生命中不可或缺的活力泉源，在他聚焦畫藝之餘，對於音樂的喜愛未曾稍減。

在靜思飲茶之際，伴隨畫室內播放的音樂，不論是世界名曲、交響曲或是名歌唱家的唱調，每個流洩跳動的音符都能觸發林之助內心深處的情感。對此他也曾回憶，世界名畫尚未能讓他有所感動，但一再重複聆聽的貝多芬第六交響曲〈田園〉[36]，輕快明亮的曲風，讓他不禁憶起了幼時家鄉農村的歡欣情境；而另一首歌頌神聖天國與世界萬物祥和的第九交響曲〈合唱〉[37] 也經常迴盪室內，那高昂的曲調與人聲合唱的帶領，使他領略人類的卑微渺小與大自然的浩瀚無際，更數度難忍落下感動的淚水。

說到歌唱演奏的優劣，他的聽覺分辨力也如目視判斷一樣精準。不過林之助極少出口講評損人，僅會讚美他所欣賞的音

樂歌唱家，例如他曾讚賞歌星余天磁性渾厚的嗓音。未曾批評他人，正是林之助為人厚道之處。

傳統樂曲悠然飄揚的旋律，時而高昂、忽而低沉的演奏搭配，是另一打動林之助易感心靈的曲調，使浸淫其中的他創作出令人激賞動容的膠彩藝術。音律不僅撫慰了林之助，更激發了他連綿不絕的美感力與創作力。

| 喝一杯人生豁達的咖啡 |

青少年時期的東京新宿生活，每日早晨由咖啡配上麵包揭開了一日美好，午後時分則閒坐咖啡館啜飲咖啡香論畫，林之助自那時起便戀上了咖啡，同時深深折服於其中深藏的奧妙哲理。

上午喝一杯咖啡，林之助說：「人會聰明，老了不會失智」，到了下午再飲一杯咖啡品嘗甜點，即是他終生的奢侈享受。在咖啡的香濃世界，林之助有了美與性靈的開悟，來自味覺與嗅覺的啟發，讓他得以為世人帶來優異出色的視覺饗宴，對林之助來說，美就是他最習以為常的生活態度。

而林之助最為人佩服與稱道的除了生活藝術，即是豁達的人生觀。戰前日治時代的林之助家族擁有「福厝」百甲水田，生活富裕，衣食無缺，然而到了戰後改朝換代，在三七五減租的土地政策下，林家只餘三甲水田，而舊臺幣四萬元換新臺幣一元的政策，更使經濟越趨蕭條。縱使面對著時代巨變，林之

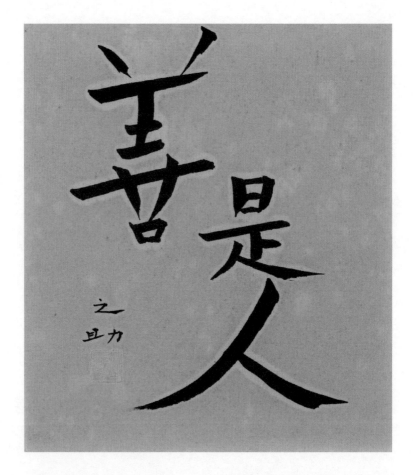

助依舊豁朗，攜妻小應聘省立臺中師範擔任美術教師，僅靠微薄薪資養家餬口，對此毫無怨言，亦始終致力於膠彩畫的創作、傳藝師範生、創立畫協會、推展美育，因此經濟負擔也分外沉重。所幸夫人林王彩珠賢慧打理家務，妥善分配財務及投資，讓林之助終能無後顧之憂，安心完成時代賦予的使命。

　　林之助也自西洋文學名著體悟出喜、怒、哀、樂皆為人生的片片拼圖，領會人性良知的重要性，而獲致心靈覺醒即是成

林之助信仰著「善是人」
（左頁圖），圓融處事，
真誠待人；也以「明天
有明天的風吹」（日本
俗語）的心態看待世事，
成就了其曠達自適的人
生觀。

就藝術人生的關鍵。因此，林之助終生的信仰即「善是人」，

一生處世待人講求性善真誠，以圓融為基本做事方針，從不傷

人。無論境遇如何，林之助一貫秉持樂觀豁達，在差異的時代

環境中調適己身，因而安然度過時局並成功發展了畫藝志業，

留下不可磨滅的長遠影響力。一句「明天有明天的風吹」，恰

恰是林之助自勉隨時把握當下，觀測未來發展趨勢，一種豁達

自適的人生觀。

絢爛完美的畫藝人生

第七章

藝術家追尋的是一條永無止境的美之大道,對於創作歷程中的摸索前進抑或是豁然見光皆甘之如飴。林之助作畫,以其純粹澄明的心靈捕捉事物最美的形象,巧妙運用色彩繪出生機勃勃的畫面,畫家對人有情、對風景有愛、對花鳥有悅,因而揮灑出友善平和的妍麗世界。

曾得標／撰

林之助藝術創作的終極目標在於完美境界的追求、留傳不朽的經典作品、發揚遠播藝術的芳美。他曾說道：「我的每張作品、簽名、蓋章絕對為品質負責。」從靈感啟發、無數小下繪設想、實物觀察寫生，到重新搭配組構素材定下畫稿，再正式於本紙塗色完成一幅色調獨特的膠彩畫作，最後簽名蓋章，整個創作過程充分顯露出膠彩大師對美的尋尋覓覓與嚴謹用心。

　　畫作品質絕佳的林之助，一生膠彩作品三百餘幅，親人留存十餘張，其它三百幅為政府機關典藏，亦多有愛好者收藏。對於畫作能獲青睞珍藏，高懸於喜好者家中，讓藝術走入日常生活、美化尋常人生，林之助始終抱持樂觀其成的態度。另外，林之助幾次重要的研究個展皆是透過向典藏單位、收藏家出借作品，這在前輩畫家中堪稱空前絕後。更難能可貴的是，林之助的睿智遠見與達觀性格，成功將藝術推廣至社會與家庭，具體落實美育的願景，彩繪繽紛的畫藝人生，與世共享藝術的美妙與理想。

｜ 用心靈作畫的感覺寫生 ｜

　　就讀於帝國美術學校期間，林之助培養出每日寫生的優良習慣，主張未曾親眼見過的事物絕不存於他的畫作中，因此每幅創作內涵皆是紮實寫生淬鍊後的結晶，絕非只是一種客觀自然的再現、機械性的記憶以及徒然追求形式的滿足。

林之助伉儷情深，白頭之後依舊相依，共同分享藝術創作的喜悅。

正是這般堅持，讓林之助除了在構造與色彩的描繪經營外，還經常費時實際觀察，藉此初步掌握創作對象的習性、特徵與神韻，再通過心靈的滌除過濾，將自我主觀精神滲透入作畫對象內部核心，進而凸顯一己的美觀感受，隨後才筆繪線條與色彩靈活地透顯對象生命深厚豐富的內蘊與情感，臻至畫幅氣韻生動的極致境界，這正是林之助寫生新觀感的「感覺寫生」精神所在。

除了勤於寫生對作品呈現的影響與重要性，林之助與生俱有的超群寫實力，使其得以透過精準的視覺捕捉與觀察，再以精巧的手繪描摹，於大腦精密的協調運作下，創作出幅幅栩栩如生的佳作，作畫技巧也在這種日夜不輟的練習中躍進提升。

其實無論寫生描摹或觀察體會，都屬於膠彩畫創作的前置

絢爛完美的畫藝人生

階段。關鍵在於藝術家必須用心靈和肌膚實際去感受生命脈動的核心，尤其是感知作畫對象的溫度更顯重要；有時則須閉目聞香，而這般去蕪存菁的「寫意」精神創作，亦為另一種感覺寫生形式，不啻直接描繪具象的形體，同時也傳達出創作對象的神采情意，表現畫家的自我意念，當畫作經由畫家一番形似美化、簡化、構成變化後，便不再只是純粹實境的呈現，而是蛻變為令觀賞者百看不厭的出神入化之作。

| 調度色彩的魔術師 |

色彩與造形是建構畫面調性的兩大要素，林之助的膠彩作品即以色感優美、華麗典雅著稱，「色彩魔術師」就是藝壇對他最貼切合宜的尊稱。此外，《臺灣省通志‧藝術篇》評論

藝術家必須用心靈和肌膚實際去感受生命脈動的核心，即使是庭院的尋常花草，林之助也用心對待。

林之助為「畫風色彩華麗、線條優美、詩情豐富、而且含意不凡，可謂畫家中之畫家」，絕非溢美之詞。

在東京美校的林之助便對色彩學的理論與實務有深入專業的研究，他善於調配色彩三屬性，即色相（顏色名稱）、明度（光度、顏色的亮度）、彩度（純度、顏色的純粹度、飽和度）三要素，更巧妙發揮運用於膠彩創作。1974 年 9 月出版《衣服的配色》，1978 年 2 月出版《色彩與配色》、《配色學新論》等有關色彩學的論述，皆是專精色彩搭配調度的林之助對臺灣早期藝術、色彩界的重要貢獻。

1967 年時，林之助接受時任臺灣省議會議長謝東閔之邀，赴臺北實踐家專兼任色彩學課程 11 年，也在臺中師範、師專、師院傳授色彩學、素描、水彩方面的課程，授藝膠彩畫弟子，

林之助於畫室專注閱讀。

絢爛完美的畫藝人生

對色彩和配色的見解日趨深刻完善，發現色彩與生活、氣候、年齡、美容、繪畫等諸種領域皆相關聯，這項認知對日後的膠彩創作尤其影響深遠。

得力於色彩美學的鑽研與天分，林之助的畫作顏色變化豐富、多樣繽紛，厚實的功力底蘊無人能及。對於色彩，林之助獨到的見解是：「創作一件藝術作品時，不是用理論去畫，而應該用感受來畫，等作品完成以後，再以理論進行檢驗，色彩的認知運用也是如此。」

由此可知，林之助的膠彩畫作之所以幅幅色感獨具，在驚豔世人的作品背後，正是飽含著善用色彩的各種屬性、情感、對比、輕重、補色、調和、冷暖……等，這一連串緊密詳細的顏色組構、理性思索與感性創意的激盪碰撞，讓他神妙地揀擇色彩揮灑出流動的畫面，使平面畫作奏出立體環繞的音律節奏，「色彩魔術師」的稱號當之無愧。

| 情意溫馨的人物畫 |

在繪畫史上，無論古典東方或西方多以人物作為繪畫主題，尤其西方繪畫幾乎可稱為人物畫，風景畫與靜物畫的傑出成果迨及近代才問世；東方繪畫則有些許不同，領先西方十世紀以上即拉開了山水畫和人物畫絢爛並進的序幕，同時還有花鳥畫的平行發展。

針對人物畫的創作，林之助曾言：「沒畫過模特兒人體畫，不算完美畫家。」由於人類是一種千變萬化、妙趣無窮的生物，因此單是描繪人物畫的形態色彩及心理狀態便已十足趣味多彩。

　　創作人物畫時，林之助特別嚴格要求素描能力，他認為描繪人體時必須留意幾項重點，即身體動作的流動方向、胴體扭轉的曲線姿勢、頭部的旋轉角度以及支撐頭部的頸部和胴體接著的線條情形，人體全貌和臉部、軀體、手臂、腳等的大小比例；另外，肩膀的位置與寬度跟其它部位的配合也是關鍵，胸部與手臂的順暢描繪便與此密切相關。若欲描繪站立的人物，則應假想一條垂直地心引力的線（動線）貫穿頭頂至腳尖，再妥善分配人體各部位與這條線的相對方位。最後，描繪人物畫時，林之助強調下筆順序宜先畫裸體再畫穿衣較為適切，如此有助於表現出流暢的衣裝和人體質感。

　　早期林之助的膠彩創作也多以人物作為主軸，身旁的熟人往往是他作畫的對象，不僅夫人林王彩珠的倩影曾出現於畫幅中，作品也有長女林長華的身影，這些人物不只提供林之助源源不絕的創作力，也成為敦促他繪出巨幅畫作參加美展比賽的靈感。作品如：〈取景〉（1938）、〈姿〉（1938）、〈米店〉（1939）、〈小閑〉（1939）、〈朝涼〉（1940）、〈童稚〉（1942）、〈母子〉（1942）、〈好日〉（1943）、〈粟祭〉

絢爛完美的畫藝人生

粟祭／1947 年／絹本・膠彩／53×65cm
終戰後隨長官公署諮議楊三郎、郭雪湖到霧社考察訪問並寫生，當地原住民熱情款待並獻以「粟祭舞」表示歡迎，林之助因有感於原住民之沒落與式微，僅畫一人獨舞，以示孤寂和嘆息。（私人／收藏）

花樣年華／1983 年／紙本・膠彩／52×72cm

青春貌美姑娘，嫵媚婉約氣質洋溢，沐浴於微妙香潔花信中，相信相惜，眉宇間充滿幸福圓滿神情，美女
與花交織出溫馨靜晨的樂章。（自藏）

絢爛完美的畫藝人生

晴日／ 1987 年／紙本・
膠彩／ 65×50cm
高爾夫球場果嶺上，打
球的少女一身明亮清爽
的打扮，專注的模樣健
美風采，洋溢著青春氣
息，畫面沒有高樹豔陽
飄浮著綿細白雲於白綠
的晴空，給人感覺清涼、
很適合打球休閒。（私
人／收藏）

（1947）、〈囍日〉（1947）(38)、〈少女〉（1951）、〈暖冬〉

（1956）、〈浴後〉（1956）、〈文鳥〉（1957）、〈鏡前〉

（1958）、〈貓〉（1960）、〈梳妝〉（1962）、〈花樣年華〉

（1983）、〈晴日〉（1987），以上 19 幅人物畫不僅溫情滿盈，

更散發洋溢著幸福的感受。

｜臺灣風情的山水畫 ｜

　　東、西方對藝術的認知與定義存在著些微差異，東方人稱

踢躂膠彩 ｜ 臺灣膠彩畫之父林之助

描繪自然山川景色的作品為「山水畫」，這類畫作出現的時間極早，與西方人稱的「風景畫」前後相差幾世紀。

　　由於東、西方畫作在表現形式和規格尺寸上的不同，因此透視法立足點也大相逕庭。西方畫幅大多是固定比例的長方形，宛如透過窗戶觀望自然景色，因而採用的是固定視點的焦點透視法，寫生主要在於表現光影風景。

　　中國古代山水畫的畫幅形式則常以「軸」和「卷」為主，因此畫家大多放棄焦點透視和光影，而以「平遠、高遠、深遠」的移動透視法來表現雄偉壯闊的山水畫，如此畫幅所呈現的是一種感覺的延續、開展、無限與流動的時空觀，展現異於西方的風情面貌。

　　近代膠彩畫的表現形式規格因與西方油畫尺寸號數相同，因此也採用焦點透視法創作，除非是長卷的聯幅作品才改以移

【左圖】
少女／1951年／紙本·膠彩／43×46 cm
以家人為對象，線條明快流暢，豐潤的造形，少女婉約的氣質，托腮凝視，反映東方女性含蓄而自信的特色，背景是門前院內親植的橡膠樹葉，增加少女青春的嫵媚，優雅又恬靜。（私人／收藏）

【右圖】
梳妝／1962年／絹本·膠彩／38×45.5 cm
眼神姿態，流暢優美，美妙圓融的藕臂，細滑手指撫理秀髮，鼻尖、唇梢、眼睛，往若有一面明鏡的左前方穿透出去，衣領鮮豔跳躍的花樣，更能呈現自信，青春洋溢希望。（私人／收藏）

絢爛完美的畫藝人生

動式去表現。林之助的山水畫也極少見長卷聯幅作品，內容取材則多為臺灣山川景物，技法採取固定視點的焦點透視，再運用線描與濃淡暈染的東方技法表現家鄉的山野、農村、田舍、庭院等，經他巧妙的畫筆點化後，景物造形顯得精簡俐落，畫面的營造匠心獨具，加以高雅的色彩調配，往往流露出塵幽美的神韻。

林之助創作的每幅山水畫也都含藏別致心裁的布局，他從不籠統隨意地把自然景物移入作品畫面，而是巧思安置，創設出貼合主體特色的詩意情境，造就畫龍點睛的奧妙，體現別具洞天的韻味。

在林之助 (39) 的山水畫作品中，例如：〈餘暉〉（1935）、〈福厝〉（1936）、〈新宿所見〉（1937）、〈後巷古厝〉（1937）、〈冬日〉（1941）、〈水影〉（1956）、〈農村風景〉（1958）、〈樹韻〉（1958）(40)、〈柳川〉（1958）(41)、〈晨曦〉（1961）、〈郊野〉（1962）、〈晨曦〉（1962）、〈暮紅〉（1963）、〈斜陽〉（1963）、〈山麓田庄〉（1963）、〈旭日〉（1964）、〈山景〉（1965）、〈炊煙〉（1965）、〈山麓〉（1965）、〈小巷晨光〉（1966）、〈望鄉〉（1966）、〈屋譜〉（1968）、〈田園〉（1969）、〈綠影〉（1969）、〈後巷〉（1969）(42)、〈農村〉（1969）、〈綿綿水田〉（1970）、〈樹林〉（1970）、〈山澗〉（1970）、〈秋景〉（1975）、〈小康〉（1977）、〈大地溫馨〉

暖春／1980年／紙本·膠彩／24.3×41cm

大雅鄉故鄉的景色，樸實的茅屋，整齊地橫列於畫面中景，屋舍後聚集一線繁茂樹林，濃綠深暗凸顯農舍簡潔明亮，庭前一位老嫗正在晾衣與田裡兩位農婦辛勤工作，相對應呈現一幅祥和溫馨的農村圖。（私人／收藏）

絢爛完美的畫藝人生　　　　　　　　　　　　　　　　　　135

農村風景／1982 年／紙本・膠彩／50×61cm
富庶祥和的農村景致，林之助以近景、中景、遠景層次變幻，前面田畦水上七頭白鵝自在游戲於晨曦樹影，
大片水田、菜畦、樹籬點化田園秀麗的詩境，遠方農舍草堆呼喚大地溫馨，將臺灣農村氣象極致發揮。（私
人／收藏）

【上圖】

臺中公園／1979年／紙本・膠彩／41×53 cm

將形色突出的水中亭建物，安排於圖中左上方，是善於掌握虛實、比例的布局，全圖以二比三的虛實反覆，地面茂盛的樹林變化與簡明建築物相輔相成，力量平衡又有活力。（私人／收藏）

【下圖】

柳川陋屋／1989年／紙本・膠彩／38×45.5 cm

林之助的宿舍前方是臺中柳川，河床堤岸邊以木柱木板由下而上建造可能是三層、四層，甚至五層，高高低低，凹凸變化的柳川陋屋，蔚為都市發展過程中獨特的景觀。（私人／收藏）

絢爛完美的畫藝人生

（1978）、〈臺中公園〉（1979）、〈山麓〉（1980）、〈暖春〉（1980）、〈溪頭綠韻〉（1980）、〈農村風景〉（1982）、〈臺灣農家〉（1982）、〈初夏〉（1986）、〈臺中公園〉（1986）、〈柳川陋屋〉（1989）、〈聖瑪利諾〉（1989）、〈蒙特利公園〉（1991）、〈山莊秋色〉（1992）、〈春日和〉（2002）等約45幅，皆以臺中、苗栗、南投等周遭景色為題，畫作富含濃厚故鄉味，足見藝術家熱愛臺灣美麗風土民情之心。

｜映現生機的花鳥畫｜

　　約占東方畫總數三分之一的花鳥畫，題材包含花卉、翎毛、草蟲、蔬果、魚類、家禽、動物等，是東方繪畫與大自然和諧相處的最佳寫照，亦是極為特殊的東方美學現象。

　　觀察西方的傳統繪畫，花鳥畫並不多見，普遍常見的是「靜物畫」，作品也大多聚焦於描繪無生命的物品，例如以摘採後再插入花瓶或置於籃中、桌案的花卉、蔬果為題，所畫鳥獸、魚類大部分也是人類獵殺後再置於桌上、懸掛牆上、或以盤盛裝，畫作所欲呈現的是西方人征服大自然的英雄心態，絕少展現東方花鳥畫生意盎然的情境。

　　在林之助的膠彩創作主題裡，花鳥畫便占據全部作品的五分之四，共計有二百多幅，足見其對花與鳥的喜愛。秉性真誠良善的林之助認為，花鳥不僅色彩豐富妍麗令人賞心悅目，更

是一種與人類友善共存的美好事物，不論外境心境如何變化，花和鳥總是表現著純情優美的一面，其奧妙樂觀，其風雅燦爛，擁有一股不求回報的正面能量，這正是偉大藝術家理當具備與學習的純正態度。

如此深愛花鳥的林之助，自家庭院植滿的花卉草木是他藉以怡情養性、觀察寫生的珍貴途徑，而日日與各種飼養的鳥禽互動作伴，也激發畫家的作畫靈感，使其得以透過近距寫生和動態速寫將生活與花鳥結合，創作一幅幅契合四季流轉的感情溫度與色調變換，優雅秀麗的花鳥畫。

在林之助二百多幅詩情畫意的花鳥作品中，幾乎未見多餘、草率的造形與累贅的色澤，此般用心如一和精純專注便是林之助花鳥繪畫超乎凡俗的特點與造詣，足以媲美故宮典藏的歷代國寶作品，收藏的愛好者亦以如獲至寶、珍而重之的心情賞畫，畫作內蘊的自性寓言及感性因緣不言而喻。

| 東西藝術交融的花火 |

時在東京美校專研日本畫科的林之助，同時薰陶於東方美學與西洋各類新知，置身於科學、文學、藝術資訊的多元衝擊環境，使他對西方的思潮理論有更為深切的領略，尤其關注當代的畢卡索繪畫，立體派、未來派的潮流動向，以及抽象繪畫的興起，康丁斯基構成派的創意，掌握住近代西洋繪畫各種流

【下頁圖】林之助所繪的各式花卉、家禽、蔬果，體現了東方美學之極致。

踢躂膠彩｜臺灣膠彩畫之父林之助

絢爛完美的畫藝人生

派及世紀的趨勢。

戰前林之助以其輝煌成績奠定臺灣畫壇重要地位，戰後 1946 年擔任臺中師範美術教師，同年又應聘第一屆臺灣全省美術展覽會評審委員，連續數十屆肩負審查任務。在那段臺灣膠彩畫與中原來臺的水墨畫於省展國畫部的磨合期間，每屆省展林之助都提出三幅作品參展，題材範圍大多以寫實的花鳥、仕女、山水風景為主，直到 1955 年第十屆省展時，才有造形簡約富設計感的膠彩畫出現，例如〈夕雲〉、〈游泳〉畫面結構便具有西方現代繪畫特質，類似立體派又有半抽象造形，是色彩強烈、印象和野獸派的合體，雖然在當時國畫部評審委員的示範作品中震撼力十足，卻也因此挑起傳統水墨畫敏感的神經。

這種蘊含近代西方潮流的創意膠彩畫，在林之助 1956 年參展第 11 屆全省美展時持續大放異彩，〈夕照〉一作便是以接近立體派的手法，將近景每棵樹簡化成錐狀、柱狀等不規則形態、不作細節的描摹；另外，1958 年第 13 屆省展〈彩塘幻影〉則應用塊面分割手法來表現水面光影與枯荷的莖葉，透過垂直線造形簡化、荷葉及倒影皆以幾何形體塊面組成，輔以他善用的黑白、藍灰、灰綠、淺黃的色彩魔術，組成了一支韻律、節奏豐富多變的秋之幻影交響曲。

及至 1966 年第 21 屆〈望鄉〉[43]、1968 年第 15 屆中部美展〈屋譜〉，皆呈現出造形的創意新穎，尤其〈望鄉〉採用「盛

【右頁上圖】夕雲／
1955 年／41×53cm

【右頁下圖】1955 年，
林之助以〈游泳〉參加
第 10 屆省展。

絢爛完美的畫藝人生

夕照／1956年／
45.5×53cm

上」（白色的顏料）及石膏打底，再以畫筆末端刮出不規則的線、形，營造出粗獷的肌理，最後藉由印象中顏色的敷染，形塑油畫般的效果，表現朦朧抒情的視覺感受。這種印象中的山城景色，半抽象的概念展現更趨近於西方現代繪畫，透露出此階段的林之助企圖藉由結合膠彩素材、西方繪畫理念、各種新興創新流派，開拓膠彩傳統思想，尋求更廣袤無限的視野前程，突破現有的創作圍籬，拓展膠彩畫領域，這股創作新意及付諸實際行動的作為，確實深刻長遠影響著後世的膠彩創作者。

不過當1954年劉國松於報章上發表了批判省展「國畫部」的言詞後，「正統國畫」之爭筆戰就此開啟，林之助因而更加警覺必須力求擺脫傳統水墨畫家對於膠彩畫的誤解。然而民族的仇

絢爛完美的畫藝人生

望鄉／1966年／紙本‧
膠彩／56×109 cm
此為林之助另一種嘗試
性的創作,先鋪陳肌理
材質,並以深淺、粗細
不同的刮痕,如浮雕般
地塑造山城的思鄉情
懷,以黃褐色系表現臺
灣早期的民間房舍、廟
宇,厚重肌理與單純的
色調,應用對比的原理,
產生很特別的畫面,讓
人感受體會另外一種膠
彩繪畫的美感。(國立
臺灣美術館／收藏)

恨深植,連帶排擠日本文化藝術繪畫,蒙蔽膠彩畫的淵源,一
味打壓的結果是 1974 年第 28 屆省展終於取消以膠彩表現為主的
「國畫第二部」,膠彩創作者成為了當時政治氛圍下的受害者。

　　臺灣藝術史學家對此始終匪夷所思,認為林之助於
1954～1969 這段年代創作了諸多驚豔當代的膠彩創意畫作,
大力革新現代繪畫思潮,熱情澎湃壯志凌雲,卻仍舊克服不了
彼時社會背景與文化環境氛圍牽制的拉力,為他的繪畫生涯留
下一則無可奈何的遺憾。

　　從 1960 年代初期開始,林之助編著發行的國小、初中、
高中美術教科書中,「編輯大意」也大致透露出林之助的編著
理念乃是從基礎美術教育著手,改變新世代的藝術觀念,進而

走向現代世界觀：

一、教材「採取由簡單而至複雜的排列，並配合世界的潮流，特別摒棄臨畫式的教材，以引起學生對於美的認識，具有新觀念進而培養學生就造形的創作興趣，以提高生活修養。」

二、除依據教育部所頒布課程標準進行編輯外，「為提高學生對藝術的興趣，而增加單元分量，內容豐富，使學生得有廣泛欣賞與研究的機會，以培養其愛美的情操。」

三、書中內容「以繪畫、圖案、雕塑、民藝等各種美術品，納入中外名作參合介紹，中間並寓有色彩、造形及美術史料，以充實學生對於美的認識，了解世界各種美術潮流，激發其創作的精神意念以美化日常生活。」

　　雖然衛道國畫家當面直言威脅要讓膠彩表現的圖畫類別消失在官辦美展舞臺，但林之助並不因此氣餒，還積極為膠彩繪畫藝術尋求生機，正名膠彩畫，創立「臺灣省膠彩畫協會」，犧牲自己試圖改變傳統刻板國畫的創新畫意，改以花鳥畫為主的膠彩畫創作，讓攻擊者無法再否認林之助的膠彩藝術是中國畫的國粹，促成 1983 年第 37 屆的省展設置「膠彩畫部」與國畫部區分，自此從事膠彩畫創作的愛好者得以更加盡情發揮、廣泛延伸藝術觸角，將東、西方的繪畫新理念自由且多元化地展現於畫中。

彩塘／1987年／紙本・
膠彩／80×116.5 cm

｜ 永無止境的美學挑戰 ｜

　　當克服題材、布局、造形、色調的考驗，創作出與想法、
境界吻合的膠彩作品後，面對下一次的全新創作，林之助總是
懷抱超越自我的心境，以突破前次作品的美感為目標，屢屢發
想嶄新創意，讓觀者不只是驚豔，還能擁有不同層次的視覺享
受。也因此，儘管每年畫作數量不多，但件件都是林之助嘔心
瀝血、追逐完美的精心傑作。

　　1990年代以後，林之助的膠彩作品幾乎是每年兩張，對
美的要求更為嚴謹。2000年代之後則是每年一幅，其中〈爽秋〉

（2005）一作，「畫出天高氣爽的秋天，親手培育七粒紅透的柿子懸垂於枝頭，綠葉已漸泛黃，蝕透點點斑剝，由右至左，上下疏密橫出，枝葉的輕重伸展方向，經過熟慮修飾，譜出如五線譜跳躍音符，由一對白頭翁引頸清吟悅耳的爽秋交響樂章，賞心悅目，幸福滿滿。」到了 2006 年，林之助挑戰〈夏晨〉絹畫下繪，畫稿完成之後，一再修改，前後花費三年時光還是不能滿意，最後沒來得及完成〈夏晨〉本繪林之助便於 2008 年 2 月 13 日仙逝，〈夏晨〉終成未完成的遺作。

令人欣慰的是，2000 年之後，在每幅精心膠彩創作的餘暇空閒中，林之助也畫了不少隨筆創意的「設計繪」。透過這些有形、無形、流暢線條與色彩變幻的隨興創作，我們看見的是林之助另類的才華表現，年屆 8、90 歲仍天真爛漫的性格以及美的軌跡，兼含另一種感動人心的意境。

美無止境，藝術創作是一條無永止境的道路，藝術家自始至終鍥而不捨追求、挑戰的正是無所局限的變化與可能。對林之助而言，美的理想恰如火車鐵軌朝前方無盡綿延卻不知終點何在，縱然苦苦追尋，卻也因此擁有在不斷創新歷程中「突破」的喜悅，而所謂藝術的核心目標，其實就是對「美的本質，做無限的追求」。

絢爛完美的畫藝人生

結　語

以智慧為膠彩開路的導航者

林之助畢生與人良善，藝術不僅成就了他令人景仰的崇高地位，也促使他為美奉獻一生。在藝術展開的大網之下，不應有所限制區分，只應存在繽紛盛開的美麗，林之助用他的智慧與專注體現了美的本質，撒下的無數棵苗種已然長成濃蔭大樹，一片碧綠，沁涼如水。

曾得標／撰

三百年來，臺灣歷經荷蘭、明、清、日治時代、國民政府戒嚴時期，以迄近代落實民主選舉，實踐自由民意的普世價值，在數次的政治動盪與環境變遷中，藝術家敏銳易感的心緒隨之波動起伏，期間的創作也多顯現一種混淆、失據的內心糾葛。戰後臺灣政治氣氛詭譎不安，日治時代逐漸發展成形的新美術戛然而止，在臺灣近代美術發展史上，戰前名揚海外的黃土水（雕塑家），陳澄波 (44)、廖繼春、李石樵（油畫家），陳進、林之助（膠彩畫家），陳夏雨（雕塑家）等人，皆為現實所迫而退隱、失語、失憶，萬般無奈，身不由己。

　　另外，膠彩畫存續的命運，也因為「去日本化」及「再中國化」的專權政治意識形態作祟，導致 1950 年初由中原來臺的水墨畫家啟動「正統國畫論爭」長達三十年之久。在當時大中國主義思想橫行之下，擔任省展國畫部評審委員的林之助與其他臺籍膠彩畫家首當其衝，屢受中原國畫家的抨擊與攻訐，致使膠彩畫存廢問題甚囂塵上，終自 1974 年第 28 屆省展正式取消。在這段黑暗時期，林之助奮力從逆境中開創發展生機，前後分別在 1977 年提出「膠彩畫」正名運動，1981 年創立「臺灣省膠彩畫協會」，爭取省展獨立設置「膠彩畫部」（1983年），並於 1985 年在東海大學首創大學美術學系「膠彩畫課程」，數十年間作育英才無數，直接間接培育出的膠彩畫創作者難以計數，至今依然蓬勃發展、延續不斷，成為臺灣近代美

術史中最能彰顯本土認同、本島文化主體性的藝術類型，由此獲有「臺灣膠彩畫之父」美譽的林之助，實至名歸。

｜專注成就畫藝｜

對於創作，林之助曾說過：「作畫絕對不是以單純眼見來對物體進行摹寫，而是必須融入作者的理念和創見，如此才能畫出富有生命力內涵的膠彩作品。」一語道盡每幅畫作皆是千錘百鍊後精純的呈現，更內含突破既有障礙跳出窠臼束縛的創作企圖。

林之助主張感覺寫生的膠彩藝術風格，摒棄舊觀念的模仿，改以直觀方式作畫，崇尚不加拘束、自由揮灑的風氣，因而建立起多彩開放的近代畫潮。同時，他也要求凡是創作皆須深刻感受各種素材的自然特性與旺盛的生命力，必須發自內心接收畫作對象賦予的靈感與感動，絕不可無病呻吟，徒然畫成記錄性的版面。

基於上述理念，以寫生為本便成為林之助的作畫習慣。透過深入觀察所見景物，仔細掌握事物特點，再素描出事物靈魂精要的「真」，並以此作為創作依據，這種超越單純臨摹的境界，便是一種心腦協調、理性感性兼具的產物。

特別的是，林之助還自創所謂「沒骨工筆畫法」，即是一種迥異於傳統將已成定稿的線條圖稿用鉤勒填彩繪製膠彩畫的

林之助要求，凡是創作皆須深刻感受各種素材的自然特性與旺盛的生命力，必須發自內心接收畫作對象賦予的靈感與感動，絕不可無病呻吟，徒然畫成記錄性的版面。〈茶隼〉、〈春意〉、〈曇花〉及其它諸多作品，皆是這層信念的體現。

作畫方式，亦即排除外框線條的束縛，細緻表現多層次色澤，發揮超凡入聖「極彩」的本質，彰顯合宜的色彩感動，最終昇華出「美」的極致的膠彩畫風。

欣賞林之助的膠彩作品，不僅視覺備受豐富多變的色感色調衝擊，風格獨樹一幟的畫作更流露出一股特殊生命力，其所奉行的繪畫思想和精神，以及專注堅持的膠彩專業，都在臺灣膠彩畫壇留下深長久遠的動人印記。

| 美在生活俯拾間 |

全民美育是林之助的藝術理想，為了推行延伸美的觸角，林之助親自著手編著中、小學美術教科書，目的是以基礎教育

為肇端，紮根美的善知識，以此培育青年學子的藝術感知與美感情操，薰陶完善的人格氣質。

與美並肩而行即是善，因此林之助也積極投入臺中扶輪社，用心辦理各種公益活動行善助人，「冬令救濟畫展」的舉辦便是以實際行動溫暖人心的例證，而「非畫家畫展」倡導的正是人人都能以赤子之心畫出美的本性純真。

此外，林之助一手創建的「臺灣中部美術協會」，宗旨即是藉由團結藝術界的力量，提升中部地區的美術水準。曾笑言「為藝術做乞食，歡喜嘛甘願」的林之助，不僅年年出錢出力舉辦「中部美展」，提攜後進，還願意為樂捐款卑躬折腰，謙沖奉獻的身影令人敬佩。

欣然為藝術奔走勞碌的林之助認為，藝術並非遙不可及，美其實存在於人們忽視的日常裡，「藝術生活化、生活藝術化」亦非抽象口號，一旦付諸具體行動、培養美的視野，人人都能擁有美感人生。

｜鋪展膠彩永續大道 ｜

棄醫從藝的林之助，懷著一身熱愛東方情緒美的膠彩畫藝由日返臺，與同儕攜手推展臺灣新美術活動，又任教於臺中師範，以「竹籬笆畫室」為據點培育膠彩畫師資種子，發展臺中成為全國膠彩畫重鎮，其高瞻遠矚的作為與胸襟功不可沒。

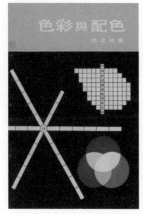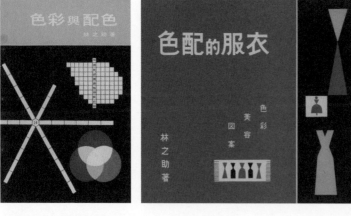

由左至右分別為《色彩與配色》、《衣服的配色》、《膠彩畫藝術》封面。

膠彩畫本屬中國畫「北宗」寫實畫風的丹青繪畫,在發展過程中卻備受傳統水墨畫「南宗」風格國畫家的誤解與排擠,致使臺灣膠彩畫一度出現斷層滅跡之危。雖然現實令人挫敗,林之助堅毅的意志卻未曾稍減,僅為與水墨同為中國文化國粹的彩妍被摒棄在外深感不甘,深謀遠慮之後,遂於 1977 年提出「膠彩畫」正名,除了普獲藝術界肯定認同,亦為政府當局正視,終至大學美術教育推展的開花結果,促使社會各界對膠彩畫的文化淵源與面貌特質有更深入的認識。

儘管正名解除了膠彩畫滅失的危機也提供傳承的生機,洞察機先的林之助卻認為此時必須乘勝追擊,盡速成立政府立案的膠彩畫協會,團結全國同好之力壯大聲勢,1981 年「臺灣省膠彩畫協會」應運而生,正式取得對外發言權,協會不懈努力的訴求終在 1983 年獲官方肯定回應,第 37 屆省展正式獨立設置「膠彩畫部」,使膠彩畫重新活躍於臺灣藝壇。

此外，膠彩畫的傳承教育主要分為學院及畫塾兩大途徑，但由於戰後戒嚴時期的觀念偏差，導致臺灣教育體制裡並無膠彩畫課程的設置，這種偏頗現象一直要到林之助提出「膠彩畫」正名之後才終於消除殆盡。1985 年 9 月時，林之助赴東海大學開啟膠彩畫課程，培育有志於膠彩畫的人才，嘉惠新生代，是傳承畫藝綿延不絕的肇始。

一生為美而活的林之助，運籌帷幄、穩紮穩打地親自帶領臺灣膠彩畫走出困境，奠定膠彩畫高等教育體系的學術地位，一手推動日後膠彩畫的蓬勃發展，定位膠彩畫為臺灣本土美術繪畫特色，打造膠彩畫家創作揮灑的寬廣空間。這位臺灣膠彩畫的「捍衛者」、「導航者」、「復興者」，也是後輩尊稱的「臺灣膠彩畫之父 (45)」，林之助縱使翩然離去，卻已為後世留下一代藝術大師的氣度風範，永垂不朽。

林之助認為，美存在於人們忽視的日常裡，「藝術生活化、生活藝術化」亦非抽象口號，一旦付諸具體行動、培養美的視野，人人都能擁有美感人生。

跋　語

藝術先行者的貢獻

林景淵／撰

本書得以問世，首先要感謝臺中市政府文化局，在「臺中學」系列叢書的人物誌中，繼《追尋時代──領航者林獻堂》，再度推出林之助教授的傳記，使包含我在內的中師畢業生有幸一同沾光。

　　其次，在編寫此書時，得力於林教授家屬的大力支持和協助，豐富了本書的內容與呈現，謹在此表達深切敬意和謝意。

　　第三，本書企劃之初原由中師學長曾得標老師負責撰寫，承曾學長不棄，指定景淵從旁協助。除〈前言〉及〈年表〉為景淵所撰，全書主要為曾老師的筆墨，在此特別聲明，並感激曾學長的寬容。

　　最後，「林之助紀念館」成立不久，大眾或許尚未全面認識林教授的風範，期盼這本傳記的出版，能引領臺中市民及社會大眾對林之助教授的畫藝成就以及其對臺灣文化發展的重大貢獻有更深刻完備的了解與掌握。

林景淵　敬識

農村／1969 年／紙本‧膠彩／89.5×130cm

早期林之助每週搭乘火車北上臺北實踐家專兼課，往返飛馳的火車上，看到大甲溪畔火焰山特殊山景與后里一帶直線狀的丘陵景色，泰安的田園風光深深地烙印在林之助的腦海中。他以簡潔造形塊面，強烈的明暗對比切割，深遠的透視手法，細膩描繪稻田、農莊、水田清麗塊面，適當的穿插畫面，帶領虛實的氣息，也把臺灣中部農村風情，詩意地展露出來清靜溫馨。（私人／收藏）

附　錄

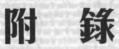

林之助生平年表・林之助畫語・師承表・林之助紀念館簡介

| 林之助生平年表 |

年代	生平事蹟	作品及著作	重要時事
大正 6 年 （1917 年）	2 月 2 日，出生於臺中縣大雅鄉（今臺中市大雅區）。父林全福，母林愛玉。		• 1895 年，設立「帝展」。 • 1920 年 1 月，臺灣學生在日本成立「新民會」，會長林獻堂。 • 1921 年 10 月，「臺灣文化協會」成立。
大正 12 年 （1923 年）	入學大雅公學校。		• 日本第 1 屆前衛藝術展。 • 1924 年，石川欽一郎第二次來臺北師範任教。
昭和 2 年 （1927 年）			臺灣總督府設立臺灣美術展覽會「臺展」，1938 年改稱「府展」。
昭和 3 年 （1928 年）	赴日本，進入東京府新宿區淀橋第二尋常小學就讀。		臺北帝國大學創立。
昭和 4 年 （1929 年）	尋常小學畢業，升入新宿區日本中學。		• 1930 年 10 月 27 日，霧社事件爆發。 • 1931 年 8 月 5 日，蔣渭水去世。 • 1933 年 10 月，「臺灣文藝協會」成立。

昭和 9 年 （1934 年）	日本中學畢業，進入帝國美術學校（今武藏野美術大學），教師有：奧村土牛、山口蓬春、川崎小虎、小林巢居等人。	學生時代的作品有：〈寫生植物〉、〈梅花〉、〈秋果〉、〈後巷古宅〉、〈深秋〉……等。	• 「臺陽美術協會」成立，1935 年 5 月舉行第一次畫展。 • 1935 年 10 月，舉行「始政四十週年紀念臺灣博覽會」。 • 1937 年 7 月 7 日，蘆溝橋事變爆發。
昭和 13 年 （1938 年）		〈黃昏〉入選第 2 屆新興美術院展。	臺灣總督府實施《國家總動員法》。
昭和 14 年 （1939 年）	3 月，自帝國美術學校畢業，繼續師事兒玉希望。	• 〈米店〉入選第 26 屆日本畫院展。 • 〈小閑〉入選第 4 屆兒玉畫塾展。	
昭和 15 年 （1940 年）	與臺中豐原人王彩珠結婚。	〈朝涼〉入選紀元 2600 年奉祝展，作品刊登於美術雜誌《美之國》。	發動臺灣人改日本式姓名。
昭和 16 年 （1941 年）	• 8 月，自日本返回臺灣。 • 加入「臺陽美術協會」。（此後每年參展）	• 〈斜陽〉獲兒玉希望畫塾研究展第一獎。 • 〈冬日〉入選第 4 屆「府展」。	• 3 月，「公等校」改稱「國民學校」。（與日本國內相同） • 4 月，「皇民奉公會」成立。 • 5 月，《臺灣文學》創刊。

林之助與王彩珠結縭超過一甲子，是「執子之手，與子偕老」的典範。

踢躂膠彩 ｜臺灣膠彩畫之父林之助

昭和 17 年（1942 年）	獲聘臺中州美術展評審委員。	〈母子〉獲第 5 屆府展特選第一名總督賞。	
昭和 18 年（1943 年）		〈好日〉獲第 6 屆府展特選第一名總督賞。	
民國 34 年（1945 年）	遷居臺中市模範街。		<ul><li>8 月 15 日，日本無條件投降，臺灣光復。</li><li>10 月，陳儀被任命為「臺灣省行政長官」。</li></ul>
民國 35 年（1946 年）	<ul><li>應聘臺中師範學校教師，入居柳川西路宿舍。</li><li>擔任全省美展評審委員，每年提出示範作品。（連任 34 年）</li></ul>	〈朝粧〉、〈淨晨〉、〈秋趣〉參加第 1 屆全省美展。	10 月 22 日，第 1 屆全省美展開幕。分為國畫、西畫、雕塑三類。
民國 36 年（1947 年）		〈靜晨〉、〈閑靜的郊外〉參加第 2 屆全省美展。	二二八事件爆發，陳澄波被槍殺。
民國 37 年（1948 年）		〈秋意〉、〈小姐〉、〈早春〉參加第 3 屆全省美展。	<ul><li>5 月 9 日，公布《動員戡亂時期臨時條款》。</li><li>中央圖書館、故宮博物院圖書、文物運來臺灣。</li></ul>

民國 38 年 （1949 年）		〈殘秋〉、〈高山小姐〉、〈靜池〉參加第 4 屆全省美展。	5 月 19 日，宣布戒嚴。
民國 39 年 （1950 年）		〈待魚〉、〈晴秋〉、〈曇花〉參加第 5 屆全省美展。	推動「反共文學」。
民國 40 年 （1951 年）		〈秋情〉、〈飛雀〉、〈小春〉參加第 6 屆全省美展。	
民國 41 年 （1952 年）		〈九官鳥〉、〈閑日〉、〈香宵〉參加第 7 屆全省美展。	
民國 42 年 （1953 年）		• 〈蜜蜂〉、〈粟祭〉參加第 8 屆全省美展。 • 〈閑春〉參加第 16 屆臺陽美展。	
民國 43 年 （1954 年）	「中部美術協會」成立，當選理事長。	• 〈水鏡〉、〈追擊〉、〈蟻和雲〉參加第 9 屆全省美展。 • 〈初夏〉、〈晚秋〉、〈浴後〉參加第 1 屆中部美展。	

林之助以〈高山小姐〉參加 1949 年第 4 屆全省美展。

民國 44 年 （1955 年）		• 〈秋晴〉、〈夕雲〉、〈游泳〉參加第 10 屆全省美展。 • 〈暖日〉、〈小鸚鵡〉參加第 18 屆臺陽美展。 • 〈更衣〉、〈暖日〉參加第 2 屆中部美展。	
民國 45 年 （1956 年）		• 〈浴後〉、〈夕照〉、〈水影〉參加第 11 屆全省美展。 • 〈暖春〉、〈風景〉參加第 3 屆中部美展。	
民國 46 年 （1957 年）		• 〈秋調〉、〈文鳥〉、〈雙雞圖〉參加第 12 屆全省美展。 • 〈飛雀〉、〈浴後〉、〈春耕〉參加第 4 屆中部美展。	• 以師大美術系為主要成員組成「五月畫會」。 • 5 月 10 日，舉辦第 1 屆「五月畫展」。 • 11 月，《文星》雜誌創刊。 • 李仲生學生組成「東方畫會」。

1955 年，林之助攝於第十屆全省美展作品前。

1957 年，林之助攝於第 12 屆全省美展作品前。

民國 47 年 （1958 年）		• 〈彩塘幻影〉、〈囍日〉、〈鏡前〉參加第 13 屆全省美展。 • 〈殘像〉、〈初春〉、〈閒日〉參加第 5 屆中部美展。	• 「現代版畫會」成立。 • 在美國之臺灣學生組成「臺灣獨立聯盟」。 • 設立「臺灣警備總司令部」。 • 八二三炮戰爆發。
民國 48 年 （1959 年）		• 〈薄暮〉參加第 14 屆全省美展。 • 〈秋實〉參加第 6 屆中部美展。	
民國 49 年 （1960 年）		• 〈香夜〉參加第 15 屆全省美展。 • 〈夕幻〉、〈貓〉參加第 7 屆中部美展。	• 5 月，發生「雷震案」。 • 「八朋畫會」成立。
民國 50 年 （1961 年）		• 〈火雞〉參加第 16 屆全省美展。 • 〈黃昏〉、〈閒春〉參加第 24 屆臺陽美展。 • 〈秋意〉、〈雨〉參加第 8 屆中部美展。	

民國 51 年 （1962 年）		• 〈閑春〉受邀參加菲律賓國際藝術展。 • 〈春景〉參加第 17 屆全省美展。 • 〈郊野〉參加第 9 屆中部美展。	
民國 52 年 （1963 年）	任教實踐家專（今實踐大學），教授「色彩學」。	• 〈暮紅〉參加第 18 屆全省美展。 • 〈樹韻〉、〈香夜〉參加第 10 屆中部美展。	溥心畬去世。
民國 53 年 （1964 年）		• 〈斜陽〉參加第 19 屆全省美展。 • 〈春趣〉參加第 11 屆中部美展。 • 製作大壁畫〈貴妃圖〉（臺南大飯店內）。	
民國 54 年 （1965 年）		• 〈炊煙〉參加第 20 屆全省美展。 • 〈山麓〉參加第 12 屆中部美展。	臺北故宮博物院落成開放參觀。
民國 55 年 （1966 年）	加入「臺中扶輪社」。	• 〈望鄉〉參加第 21 屆全省美展。 • 〈綠意〉參加第 13 屆中部美展。	大陸發動「文化大革命」。

民國 56 年（1967 年）		<li>〈山景〉參加第 22 屆全省美展。</li><li>〈青磁〉參加第 30 屆臺陽美展。</li><li>〈小巷晨光〉參加第 14 屆中部美展。</li>	推動「中華文化復興運動」。
民國 57 年（1968 年）	<li>在臺中市開設「孔雀咖啡廳」，店內兼售繪畫作品。</li><li>赴日本觀光考察。</li><li>舉辦第 1 屆「非畫家畫展」、「冬令救濟畫展」。</li>	<li>〈山麓〉參加第 23 屆全省美展。</li><li>〈屋譜〉參加第 15 屆中部美展。</li>	<li>「中國水墨協會」成立。</li><li>實施「九年國教」。</li>
民國 58 年（1969 年）		<li>〈綠影〉參加第 24 屆全省美展。</li><li>〈歸巢〉、〈春田〉參加第 16 屆中部美展。</li>	
民國 59 年（1970 年）		<li>〈樹林〉參加第 25 屆全省美展。</li><li>〈山澗〉參加第 17 屆中部美展。</li>	在美國成立「臺獨聯盟」。

林之助全家福，攝於 1990 年。

踢躂膠彩 | 臺灣膠彩畫之父林之助

民國 60 年 （1971 年）	舉辦第 2 屆「非畫家畫展」。	• 〈小鳥〉參加第 26 屆全省美展。 • 〈石榴〉參加第 18 屆中部美展。	退出聯合國。
民國 61 年 （1972 年）	赴日本觀光。	• 〈靜晨〉參加第 27 屆全省美展。 • 〈小鳥〉、〈風景〉參加第 19 屆中部美展。 • 〈火雞〉參加第 1 屆長流畫展。	• 中日斷交。 • 國父紀念館落成啟用。
民國 62 年 （1973 年）	當選「臺灣音樂協進會」理事。	〈火雞〉參加第 20 屆中部美展。	全省美展之「膠彩畫」停止收件。
民國 63 年 （1974 年）	當選「臺中文藝作家協會」常務理事。	• 〈龍井所見〉、〈晨〉參加第 21 屆中部美展。 • 出版《衣服的配色》。	
民國 64 年 （1975 年）	赴美國觀光。	• 〈秋意〉參加第 30 屆全省美展。 • 〈玫瑰〉、〈風景〉參加第 22 屆中部美展。 • 〈綠蔭〉參加第 4 屆長流畫展。	

民國 65 年 （1976年）		• 〈暖春〉參加第 31 屆全省美展。 • 〈曇花〉、〈秋意〉 參加第 23 屆中部美 展。 • 〈鴛鴦〉參加第 5 屆長流畫展。	• 臺北舉辦「洪通個展」。 • 朱銘首次木雕展。 • 張大千來臺。
民國 66 年 （1977年）	• 2 月，首先提 出「膠彩畫」 名稱。 • 6 月，臺北龍 門畫廊舉辦全 臺膠彩畫聯 展。 • 擔任「南投縣 美術學會」顧 問。	• 〈橘子〉、〈秋意〉 參加第 24 屆中部美 展。 • 〈玫瑰〉、〈小康〉 參加第 6 屆長流書 畫展。	
民國 67 年 （1978年）	當選「臺灣音樂協 進會」理事。	• 〈茶隼〉參加第 33 屆全省美展。 • 〈大地溫馨〉參加 第 41 屆臺陽美展。 • 〈憩〉參加第 25 屆 中部美展。 • 出版《色彩與配 色》、《配色學新 論》。	• 中山高速公路通車。 • 與美國斷交。

民國 68 年 （1979年）	<ul><li>就任「臺中扶輪社」社長。</li><li>自臺中師專退休。</li><li>舉辦「全省第 3 屆非畫家畫展」。</li><li>擔任日本「IFA 國際美術協會」臺灣負責人。</li></ul>	<ul><li>〈好鳥鳴林〉參加第 34 屆全省美展。</li><li>〈合家樂〉、〈湖邊儷影〉參加第 26 屆中部美展。</li></ul>	<ul><li>臺北舉辦「李仲生個展」。</li><li>桃園中正機場啟用。</li><li>高雄爆發美麗島事件。</li></ul>
民國 69 年 （1980年）	參加「臺中扶輪社」訪問團赴日本，並出席廣島東南扶輪社 20 週年社慶。	<ul><li>〈洋梨〉、〈溪頭綠韻〉參加第 27 屆中部美展。</li><li>〈初春〉參加第 1 屆中日美展。</li></ul>	
民國 70 年 （1981年）	<ul><li>創立「臺灣省膠彩畫協會」，並當選理事長。</li><li>應聘臺灣省立臺中圖書館美術顧問。</li></ul>	<ul><li>〈錦鯉〉參加第 36 屆全省美展。</li><li>〈春意〉參加第 28 屆中部美展。</li><li>〈曇花〉參加第 2 屆中日美展。</li></ul>	「文建會」成立。

民國 71 年 （1982 年）		• 〈炊飯花〉參加第 37 屆全省美展。 • 〈洋蘭〉參加第 29 屆中部美展。 • 〈花〉參加第 3 屆 中日美展。 • 〈孔雀開屏〉參加 第 1 屆全省膠彩畫 展。 • 〈靜物〉、〈粟祭〉、 〈後巷〉參加文建 會主辦之「年代美 展」。	• 全省美展「膠彩畫」恢 復收件。 • 林之助個展。
民國 72 年 （1983 年）	爭取在第 37 屆全 省美展中，自「國 畫第二部」獨立為 「膠彩畫部」。	• 〈晨曦〉參加第 30 屆中部美展。 • 〈綠影〉參加日本 「IFA 國際美術協會」 年展。	• 張大千去世。 • 臺北市立美術館開館。
民國 73 年 （1984 年）		• 〈金魚〉參加第 31 屆中部美展。 • 〈相思鳥〉參加第 5 屆中日美展。 • 〈閑春〉參加第 2 屆全省膠彩畫展。	

民國 74 年 （1985 年）	應聘東海大學美術系，開設「膠彩畫」課程，為各大學美術系首創。	• 〈春到〉參加第 32 屆中部美展。 • 〈椿〉參加第 6 屆中日美展。 • 〈盛秋〉參加第 3 屆全省膠彩畫展。 • 〈黃昏花〉參加當代名家中日畫展。 • 〈爽秋〉參加高雄市 2000 人展。	
民國 75 年 （1986 年）	• 應聘臺灣省立美術館（今國立臺灣美術館）徵求門廳美術作品評審委員。 • 應聘高雄市美展評議委員。 • 應聘國立歷史博物館美術審議委員會委員。 • 舉辦「林之助 70 歲師生回顧展」（臺中市文英館）。	• 〈爽朝〉參加第 33 屆中部美展。 • 〈落葉〉參加第 4 屆全省膠彩畫展。 • 〈曇花〉參加第 4 屆高雄市美展。	「民進黨」成立。

民國 76 年 （1987 年）	應聘國立中興大學藝術中心顧問。	• 〈佳偶〉參加第 50 屆臺陽美展。 • 〈鬱金香〉參加第 34 屆中部美展。 • 〈鶴蘭〉參加第 8 屆中日美展。 • 〈牽牛花〉參加第 5 屆全省膠彩畫展。 • 〈春聲〉參加第 5 屆高雄市美展。 • 〈靜物〉參加中華民國當代美展。 • 〈閑春〉、〈月下競豔〉參加臺北阿波羅藝廊之膠彩畫大展。	• 7 月 15 日，解除「戒嚴令」。 • 開放赴大陸探親。
民國 77 年 （1988 年）	• 應聘臺灣省立美術館（今國立臺灣美術館）第 1 屆諮詢委員會委員及開館展評審委員。 • 榮獲「林本源中華文化教育獎」。	• 〈雉雞〉參加第 51 屆臺陽美展。 • 〈清晨〉參加第 35 屆中部美展。 • 〈洋蘭〉參加第 9 屆中日美展。 • 〈靜晨〉參加第 6 屆全省膠彩畫展。 • 〈蝴蝶蘭〉參加第 6 屆高雄市美展。 • 〈彩塘〉參加臺灣省立美術館開館展。	• 臺灣省立美術館開館（後改稱「國立臺灣美術館」）。 • 報禁解除。

民國 78 年 （1989 年）	• 應聘全省美展評議委員。 • 擔任「中部美術協會」榮譽理事長。 • 榮獲臺中縣十大資深傑出藝術家「金穗獎」。 • 當選「臺陽美術協會」理事。	• 〈春暉〉參加第 52 屆臺陽美展。 • 〈小巷晨光〉參加第 36 屆中部美展。 • 〈聖瑪利諾〉參加第 10 屆中日美展。 • 〈玫瑰〉、〈鳴春〉參加第 7 屆全省膠彩畫展。 • 〈雙鴿〉參加日本「1989 IFA 展」。 • 〈陋屋〉參加臺中建府 100 週年美展。	
民國 79 年 （1990 年）		• 〈卡多麗亞〉參加第 45 屆全省美展。 • 〈蘭花〉參加第 53 屆臺陽美展。 • 〈春暉〉參加第 37 屆中部美展。 • 〈三色槿〉參加第 11 屆中日美展。 • 〈蘭花盛開〉參加第 8 屆全省膠彩畫展。	

民國 80 年 （1991年）		<ul><li>〈蒙特利公園〉參加第 46 屆全省美展。</li><li>〈雙鴿〉參加第 54 屆臺陽美展。</li><li>〈綠意〉參加第 38 屆中部美展。</li><li>〈瓶花〉參加第 12 屆中日美展。</li><li>〈蘭香〉參加第 9 屆全省膠彩畫展。</li></ul>	
民國 81 年 （1992年）	應聘臺北市立美術館第 4 屆膠彩畫類審議委員。	<ul><li>〈山莊秋色〉參加第 47 屆全省美展。</li><li>〈春韻〉參加第 55 屆臺陽美展。</li><li>〈競豔〉參加第 39 屆中部美展。</li><li>〈夏荷〉參加第 13 屆中日美展。</li><li>〈謳春〉參加第 10 屆全省膠彩畫展。</li></ul>	

民國 82 年 （1993年）		• 〈春豔〉參加第 48 屆全省美展。 • 〈天堂鳥〉參加第 56 屆臺陽美展。 • 〈合家樂〉參加第 40 屆中部美展。 • 〈洋蘭〉參加第 14 屆中日美展。 • 〈春華〉參加第 11 屆全省膠彩畫展。
民國 83 年 （1994年）	• 應聘臺北市立 美術館第 5 屆 膠彩畫類審議 委員。 • 11 月，公共電 視臺製作播出 《膠彩畫的正 名者——林之 助》。	• 〈春意儷情〉參加 第 49 屆全省美展、 第 15 屆中日美展。 • 〈曇花〉參加第 57 屆臺陽美展。 • 〈劍蘭〉參加第 41 屆中部美展。 • 〈豐韻〉參加第 12 屆全省膠彩畫展。 • 《中國巨匠美術週 刊》出版「林之助」 專輯。 • 監修《膠彩畫藝術 ——入門與創作》。

民國 84 年 （1995 年）	榮任「臺灣省膠彩畫協會」榮譽理事長。	• 〈鳥語花香〉參加第 50 屆全省美展。 • 〈牡丹花〉參加第 58 屆臺陽美展。 • 〈曇花〉參加第 42 屆中部美展。 • 〈秋趣〉參加第 13 屆全省膠彩畫展。	
民國 85 年 （1996 年）		• 〈錦春〉參加第 51 屆全省美展。 • 〈麗春〉參加第 59 屆臺陽美展。 • 〈紅葉〉參加第 43 屆中部美展。 • 〈椿〉參加第 14 屆全省膠彩畫展。	臺北捷運通車啟用。

民國 86 年 （1997年）		<ul><li>臺灣省立美術館（今國立臺灣美術館）舉辦「林之助繪畫藝術之研究」研究展，並出版專輯。</li><li>〈采夏〉參加第 52 屆全省美展。</li><li>〈春意〉參加第 60 屆臺陽美展。</li><li>〈爽秋〉參加第 44 屆中部美展。</li><li>〈頌晨〉參加第 15 屆全省膠彩畫展。</li></ul>	
民國 87 年 （1998年）		<ul><li>〈情意〉參加第 53 屆全省美展。</li><li>〈綠影〉參加第 61 屆臺陽美展。</li><li>〈曉春〉參加第 45 屆中部美展。</li><li>〈清韻〉參加第 16 屆臺灣膠彩畫展。</li><li>藝術家出版社出版《臺灣美術全集 20：林之助》。</li></ul>	

民國 88 年 （1999 年）	作品在臺中自宅失竊：〈福曆〉、〈新宿所見〉、〈餘暉〉、〈梅花鹿〉、〈童稚〉及 2 冊寫生。	• 〈野趣〉參加第 46 屆中部美展。 • 〈甜美〉參加第 17 屆臺灣膠彩畫展。 • 臺中印刷出版社出版《膠彩畫之美——林之助》。	
民國 89 年 （2000 年）		• 〈秋趣〉參加第 63 屆臺陽美展。 • 〈盛春〉參加第 47 屆中部美展。 • 〈豔春〉參加全國膠彩畫名家大展。	
民國 90 年 （2001 年）		• 〈喜春〉參加第 64 屆臺陽美展。 • 〈取景〉參加第 48 屆中部美展。 • 〈香韻〉參加第 19 屆臺灣膠彩畫展。	
民國 91 年 （2002 年）		• 〈月下香韻〉參加第 49 屆中部美展。 • 〈富麗〉參加第 20 屆臺灣膠彩畫展。	

民國 92 年 （2003 年）	5 月 14 日，時任總統陳水扁親訪林之助畫室。	• 〈夜香〉參加第 66 屆臺陽美展。 • 〈秋華〉參加第 21 屆臺灣膠彩畫展。 • 雄獅圖書公司出版《家庭美術館——膠彩‧雅韻‧林之助》。	臺灣文學館開館。
民國 93 年 （2004 年）		• 〈香宵〉參加第 51 屆中部美展。 • 〈鳥語花香〉參加第 22 屆臺灣膠彩畫展。	
民國 94 年 （2005 年）	榮獲行政院頒給「文化獎」。	• 〈爽秋〉參加第 23 屆臺灣膠彩畫展。 • 〈孔雀開屏〉參加臺灣膠彩畫史流研究展。	全省美展停辦。
民國 95 年 （2006 年）	臺中市政府頒授「臺中市榮譽市民」獎章。	• 〈富春〉參加第 69 屆臺陽美展。 • 〈椿〉參加第 53 屆中部美展。 • 〈山麓〉參加第 24 屆臺灣膠彩畫展。	

晚年的林之助持續手執畫筆，於畫布上揮灑繽紛世界。

踢躂膠彩｜臺灣膠彩畫之父林之助

民國 96 年 （2007 年）	• 國立臺灣美術館舉辦「臺灣膠彩畫的捍衛者——林之助特展」。 • 國立臺中教育大學聘為「榮譽教授」。 • 畫室被指定為「歷史建物」。	• 〈晴日〉參加第 70 屆臺陽美展。 • 〈瓶花〉參加第 54 屆中部美展。 • 〈喜春〉參加第 25 屆臺灣膠彩畫展。	
民國 97 年 （2008 年）	• 2 月 13 日，逝世於美國洛杉磯寓所。 • 3 月 25 日，臺中市新民高中舉行「臺灣膠彩畫之父林之助教授追思紀念會」。	• 〈春聲〉參加第 71 屆臺陽美展。 • 〈爽秋〉參加第 55 屆中部美展。 • 臺中市政府文化局出版《追求完美・永無止境——臺灣膠彩畫之父林之助》紀念專輯。	

2006 年，林之助於行政
院接受文化獎表揚。

臺中市政府頒授「臺中
市榮譽市民」獎章予林
之助。

民國 98 年 （2009 年）	• 「林之助膠彩藝術基金會」成立。 • 8 月 6 日，國立勤益科技大學舉辦「承先啟後——臺灣膠彩畫的過去、現在與未來」國際學術研討會，紀念林之助。	臺中縣政府文化局出版《臺灣膠彩畫之父：林之助》。	
民國 99 年 （2010 年）	3 月，臺中市政府文化局舉辦「臺灣膠彩畫之父 ——林之助教授紀念展」。	林之助膠彩藝術基金會出版《臺灣膠彩畫之父：林之助》紀念全集。	
民國 104 年 （2015 年）	6 月 6 日，「林之助紀念館」開館。		
民國 105 年 （2016年）	1 月～ 5 月，國立臺灣美術館舉辦「明日之風 ——林之助百歲紀念展」。		

（林景淵／製表　曾得標／校訂）

｜林之助畫語｜

- 我不畫沒看過的景物，創作每一幅作品，都要經過寫生，而寫生絕非只是客觀自然的再現、機械性的記憶或追求形似的滿足而已，因此除了描繪它的構造與色彩之外，必須經常費很多的時間觀察體會，把握對象的習性和特徵神韻後，再經過心靈過濾，才強調自己的感覺，藉著造形與色彩，靈活地顯示出對象的生命內涵，而達到氣韻生動的極致境界，這就是我強調「感覺寫生」的精神所在。

- 一位畫家成就有多高，就看他平日的速寫簿、素描、下繪，習作疊起來比完成的作品有好幾倍之多。

- 花兒盡情綻放美麗花朵，並非為了要給誰看，鳥兒用牠那美妙的歌聲，不停地唱著，風雅自然展姿，這正如藝術家純粹創作態度，它們比藝術家更像藝術家，這是我喜歡以花鳥作畫的原因。

- 不要模仿，這樣你永遠是他的影子，最好也只能第二，沒有你的存在感。

- 悅耳的音樂，讓我一聽再聽，尤其是貝多芬的第六交響曲〈田園〉，第九交響曲〈合唱〉，讓我領會人類的卑微與

大自然的浩瀚，數度感動掉淚。說：「我看名畫不曾掉淚，但聽貝多芬交響樂名曲，就會忍不住流下淚珠。」

- 鶼鰈情深，神仙眷屬，林之助常對夫人說：「彩珠妳不錯，沒有嫁愚尪，而是嫁給悾尪，不過嫁了悾尪，可以講悾話（幽默的話）讓妳歡笑！」對夫妻相處之道，做如此的比喻：夫妻相處之道如配色的互補關係一樣，若要讓紅色顯得鮮豔，要配上一點綠，譬如煮紅豆湯，要甜而不膩的竅門是加一點鹽。

- 藝術的價值，在於其思想、精神與創意，不在於素材，不論用油彩、水彩、膠彩、水墨……等只要能畫出美的色彩與造形，不管是抽象或具象，只要具有自己獨特風格，就是好的繪畫作品。又說水墨畫用墨來表現色彩，是另一種抽象畫，非常了不起的東方藝術風貌。

- 一位畫家碰上真正感動的對象，才會有創作的慾望，畫起來也格外順手暢快。

- 繪畫是造形、色彩、線條的排列，而音樂是聲音的高低、強弱、長短的節奏，兩者的道理是相通的，因此我作畫時常聆聽古典音樂，從音樂的旋律、節奏、和聲的安排上，來思考畫面的構圖、色彩的濃淡強弱與造形上的變化，從

林之助，攝於 2005 年。

踢躂膠彩｜臺灣膠彩畫之父林之助

音樂上，我獲得許多創作靈感。

- 我是學藝術的，只要作品有藝術價值，我就喜歡，好即是好，不管是哪個國籍畫家作品，像人一樣，只要他能站在對方的立場設想，就是好人、有修養，我都喜歡接近他，不管種族，不分省籍，黑人、白人都好，像在洛杉磯，我有幾個打球朋友是中國人，我都尊重和喜歡他們。

- 藝術是條無止境的路，永遠都在追求「無限變化」、「無限可能」中前進，就如火車軌道上的兩條平行線，不會交叉，不知道終點在哪兒，因此才有不斷創新歷程，突破的喜悅，尋求「美的本質」，做無限的追求，這是我一直創作下去的原動力。

- 一位成功藝壇領導者，除了本身畫藝精進，時時用功表現自我特色，為人處事更要人人好，增加善緣，將來推廣會務加倍順暢，呈正面加分效果。

曾得標 — 倪玉珊 — 國立勤益科技大學

黃登堂 — 廖珮如 — 徐碧姿、王麗薰、陳瑞瓊、
廖富美、林嬰寶、呂秀貞、

羅阿龍 — 陳玉美、趙永華

李懷義

林星華 — 呂燕卿 — 國立新竹教育大學美術系

陳日熊 — 陳英文 — 國立屏東教育大學美術系

陳錦添 — 王永林、陳佑端、陳騰堂、

江宗杜 — 鄭金珠、陳文聲、陳志和、

施華堂 — 唐雙鳳、高其恆、黃能政、

林榮輝 — 曾宜婷、劉書鴻、倪玫玲、

張漢濱 — 張秀燕、施子儀

陳媗如

黃朝湖

蔡其瑞

沈旺朝

柯武雄

陳仁介

黃茂盛

蘇服務

陳慧如

兒玉希望 — 林之助

廖大昇 — 廖瑞芬

陳石柱 — 陳秋蓉

李貞慧 — 林彥良、鐘英泰、李美至、
葉瑩瑩、許芳華、東海大學美術系

趙宗冠 — 黃碧雪、白慧怡、楊人權、
董龍佳、陳美華

詹前裕 — 王怡然、桑千雅、張碧珠、
謝宜靜、羅仁傑、陳曉莉
饒文貞、劉曉嵐、郭禹君、
東海大學美術系
張貞雯 — 許靜文、黃相如、白婷玉、徐英惠、
詹靜宜、翁誌見、蕭如芳、林宣余、
莊芍藥、詹秀蘭、蔡双梅、張維哲

謝峰生 — 蔡清河、甘錦城、鄭營麟、
張瑞蓉、張　策、
簡錦清 — 藍同利、林萌森、林必強、
吳景輝、彭光武、呂金龍、
曹　鶯、曾懷德、大葉大學造形藝術系
陳淑嬌 — 黃立芳、楊玉梅、江錦雲、
王志雄 — 謝淑娟
陳豔秋、趙純妙、林瑞東、
唐千涵、白慧怡、蔡幸娟

｜林之助紀念館簡介｜

建館緣起

2005 年，國立臺中教育大學校長賴清標行文申請「行政院文化獎」頒予林之助教授，在申請文件中，該校美術系教授莊明中詳細臚列林之助教授捍衛臺灣膠彩畫，犧牲貢獻長達六十年之事實，申請案獲得委員一致通過。林之助教授的獲獎，不僅是他個人的榮耀，更彌補了「膠彩畫」畫家在六十年中未曾受官方表揚的缺憾。其後，臺中市政府也頒予林之助教授「臺中市榮譽市民獎章」。

2005 年底時，國立臺中教育大學按照教育部的規定，計畫收回位於柳川西路已不再使用的原林之助教授宿舍。鑑於林之助教授在畫壇上的重要貢獻以及原宿舍內「竹籬笆畫室」蘊含的代表性意義，臺中市政府乃於 2006 年將「林之助畫室」交付文化部文化資產局召開的「古蹟、歷史建物審查會議」。會議中，國立臺中教育大學代表、林之助教授家屬代表、學生代表（曾得標）等也受邀發表意見。

最終，會議通過將原林之助教授宿舍列為「歷史建物」，並保留周邊 300 坪土地，以便後續一併整理、使用。隨後，國立臺中教育大學指定該校教授白適銘進行全面調查，並呈報文

建會（今文化部）；文建會則補助「林之助數位版畫」55 幅，作為日後紀念館典藏展覽之用。

修復過程

2007 年，國立臺中教育大學校長楊思偉委請該校文化創意系主任黃位政負責執行修復工程，幸獲臺中市議員黃國書（現任立法委員）向臺中市政府爭取補助款 350 萬元，計畫以「古蹟修復法」進行修復，並經審查通過。

歷經多方奔走籌措工程款，2012 年總計獲得以下較大面額之捐款：

- 寶成國際集團總裁蔡其瑞（中師校友）1,000 萬元。
- 林之助教授家屬 300 萬元。
- 眼科博士魏昭博（林教授大女兒之夫婿）600 萬元。

工程款獲有挹注，遂於 2013 年 11 月 28 日開始施工，並於 2014 年年底竣工，前後共支出工程款兩千萬餘元。2015 年年初開始進行內部布置工作，同時成立「林之助紀念館管理基金會」，以便日後業務之推動。

開館營運

林之助紀念館 LOGO。

2015 年 6 月 6 日，國立臺中教育大學校長王如哲邀請臺中市政府文化局長王志誠、寶成國際集團總裁蔡其瑞、林之助教授夫人林王彩珠及子、女、女婿，臺中扶輪社社友以及社會賢達共同參加剪綵，林之助紀念館正式對外開放營運。

紀念館除了展示林之助教授的膠彩畫作品、重要著作及相關文史資料等，亦不定期舉辦各種藝術活動與展覽，同時著力於膠彩畫的傳承教學及推廣。

在紀念館的組織設置上，則有館長、經理，也對外招募志工；另設有「館務推廣委員會」協助紀念館定位為「社會公共文化財」，揭示林之助教授宣揚膠彩畫之精神、實踐文化公民權之理念，以期對社會文化提供更多貢獻。

目前紀念館開放時間如下：

- 每週三～週日，上午 11 點至下午 5 點
- 國定假日休館
- （免費參觀，團體入館可預約安排導覽）
- 館址：臺中市西區柳川西路二段 158 號
- 電話：04-22183652

（曾得標／整理）

 參考書目

| 書籍 |

1. 林之助編著，《初中美術》，臺中：青龍出版社，1967。

2. 林之助編著，《高中美術》，臺中：青龍出版社，1967。

3. 林之助，《衣服的配色》，臺中：青龍出版社，1974。

4. 林之助，《色彩與配色》，臺中：青龍出版社，1978。

5. 林之助監修，曾得標編著，《膠彩畫藝術——入門與創作》，臺中：印刷出版社，1994。

6. 《中國巨匠美術週刊·006林之助》，臺北：錦繡出版社，1994。

7. 詹前裕，《林之助繪畫藝術之研究》，臺中：臺灣省立美術館，1997。

8. 倪朝龍，《臺灣美術全集20：林之助》，臺北：藝術家出版社，1998。

9. 陳政雄，《膠彩畫之美——林之助》，臺中：印刷出版社，1999。

10. 王秀雄，《日本美術史》（上、中、下），臺北：國立歷史博物館，2000。

11. 《臺灣膠彩畫史流研究展》（畫冊），臺中：臺灣省膠彩畫協會，2005。

12. 游惠遠計畫主持，《臺灣膠彩畫之父：林之助》，臺中：臺中縣政府文化局，2009。

13. 游惠遠主編，《承先啟後——臺灣膠彩畫的過去、現在與未來》（論文集），臺中：國立勤益科技大學，2010。

14. 林之助膠彩藝術基金會編印，《臺灣膠彩畫之父：林之助》（畫冊），2010。

15. 謝里法，《臺灣美術研究講義》，臺北：藝術家出版社，2016。

16. 國立臺灣美術館，《明日之風——林之助百歲紀念展》（畫冊），臺中：國立臺灣美術館，2016。

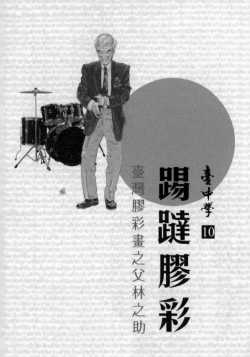

臺中學 10

踢躂膠彩

臺灣膠彩畫之父林之助

作　　　者	曾得標・林景淵
照 片 提 供	林之助膠彩藝術基金會

發 行 人	林佳龍
主　　編	王志誠（路寒袖）
編 輯 委 員	施純福・黃名亨・楊懿珊・林敏棋・陳素秋・林承謨
執 行 編 輯	陳兆華・范秀情・趙崧然・林耕震

出 版 單 位	臺中市政府文化局
地　　址	臺中市西屯區臺灣大道三段 99 號惠中樓 8 樓
網　　址	http://www.culture.taichung.gov.tw
電　　話	04-2228-9111
展 售 處	五南書局／ 04-2226-0330
	臺中市中區中山路 6 號
	國家書店松江門市／ 02-2518-0207
	臺北市中山區松江路 209 號 1 樓

編 輯 製 作	遠景出版事業有限公司
負 責 人	葉麗晴
主　　編	李偉涵
執 行 編 輯	謝佳容
封 面 插 畫	鄭硯允
美 術 設 計	李偉涵
內 文 排 版	李佩瑜

地　　址	新北市板橋區松柏街 65 號 5 樓
電　　話	02-2254-2899
傳　　真	02-2254-2136
劃 撥 戶 名	晴光文化出版有限公司
劃 撥 帳 號	19929057
總 經 銷	紅螞蟻圖書有限公司
初　　版	中華民國 106 年 11 月
定　　價	新臺幣 300 元
G　P　N	1010601668
I S B N	978-986-05-3759-8

第　　001425　　號

林之助膠彩藝術基金會、林之助紀念館與臺中市政府文化局、遠景出版事業有限公司合作，共同推廣文創藝文活動，並與全球文創藝文生態系聯結，前 2,000 冊（第 1 號至第 2000 號）供臺中市政府文化局用於推廣，其中 200 冊（第 1801 至第 2000 號）可用於政府出版品專售管道流通；後 500 冊（第 2001 號至第 2500 號）則供遠景出版事業有限公司銷售，並捐出部分所得營利，支持林之助膠彩藝術基金會轄下藝文活動。

國家圖書館出版品預行編目資料

踢躂膠彩：臺灣膠彩畫之父林之助 / 曾得標、林景淵著. - 初版. - 臺中市 ： 臺中市政府文化局出版：晴光文化發行, 2017.11　面 ； 公分. - （臺中學；10）

ISBN 978-986-05-3759-8（平裝）

733.9/115　　　　　　　　　　　106018276